LA PRATIQUE
DE L'ENSEIGNEMENT

LA PRATIQUE DE L'ENSEIGNEMENT

Outils pour la construction d'une théorie personnelle de l'action pédagogique

UNIVERSITAIRE

Nadia Rousseau et **Marc Boutet**

Guérin Montréal Toronto

4501, rue Drolet
Montréal (Québec) H2T 2G2 Canada
Téléphone: (514) 842-3481
Télécopieur: (514) 842-4923
Courrier électronique: francel@guerin-editeur.qc.ca
Site Internet: http://www.guerin-editeur.qc.ca

Dépôt légal

ISBN 2-7601-6343-1

Bibliothèque nationale du Québec, 2003
Bibliothèque nationale du Canada, 2003

imprimé au Canada

Révision linguistique Carole Dea
Illustration de la page couverture Xavier Blais

Nous reconnaissons l'aide financière du gouvernement du Canada par l'entremise du Programme d'Aide au Développement de l'Industrie de l'Édition (PADIÉ) pour nos activités d'édition.

Canadä

Le masculin est employé dans le seul but d'alléger le texte.

TABLE DES MATIÈRES

AVANT-PROPOS

En février 2001, lors de la semaine des enseignants, nous avons reçu un texte magnifique dans notre courriel. Lysette Brochu, une enseignante à la retraite que nous ne connaissions pas, venait de nous offrir ses écrits sur le thème de l'enseignant. Ce texte imagé semble bien rendre compte de la complexité de la tâche enseignante... Nous espérons que ce texte vous inspirera tout au long de votre formation initiale en enseignement. Nous souhaitons aussi que vous y trouviez réconfort au cours de vos futures années de pratique de l'enseignement.

Il y a de ça longtemps, j'ai choisi de marcher dans la vie, entourée de rires d'enfants. Avec le zèle de mes vingt ans, je rêvais de changer le monde par le biais de l'enseignement. Le soir, en me couchant, je mijotais de sages façons et des nuits durant, j'écrivais sur tableau noir des mots syllabiques de lumière, des mots en «ou», des mots en «on», des mots de mots, des mots savants, des mots de grandes chansons.

Le lendemain, la tête remplie de nuages, je découpais mes rêves en belles images. Et souvent, beaucoup trop souvent, ces images de mes nuages devenaient orages. J'apprenais le métier à mes dépens. Je découvrais l'art des arts, l'art de l'enseignement.

Je devais apprendre comme Rodin ou comme Michel-Ange à faire surgir la connaissance au seuil de la conscience. Telle une statue qui émerge d'un marbre fragile. Tel un penseur bronzé qui ressort d'un métal froid.

Ce qui d'abord m'avait paru facile devenait pour moi lourde tâche, devoir pénible. Maintes fois, je me suis sentie abattue, abandonnée de mon courage et je me taxais sans scrupules d'«incompétente» et de «malhabile». J'aspirais toujours, malgré tout, à capter soudainement la science du jour en bloc sans fissures et offrir généreusement cet amas de notions et de doctrines en cadeau à Pierre, à Bill, à la petite Catherine.

Parfois encore, moi, l'institutrice mal assurée, je regrettais ma vocation de livres et de crayons. Je me disais: «C'est fou! Combien il me serait plus doux de compter des sous, plutôt que de répéter, sans cesse répéter «bijou, caillou, chou, genou et pou ... ».

Débordée, fatiguée, désenchantée, je récitais mes litanies: «si mes élèves ne savent rien, c'est à cause de la télé», «si je n'ai pas le temps de respirer, c'est à cause des programmes surchargés», «si le petit Stéphane est si tannant, c'est à cause de ses parents», «si les enfants sont si agités, c'est à cause de la récré», «si Patrick s'endort sur le plancher, c'est à cause de son dîner», «si Chantale m'envoie promener, c'est à cause de la société.»

Ô paradoxale profession, la plus grande, la plus dure, la plus noble, la pire, la meilleure sans discussion. Profession de compassion, de déraison. Plus que profession, mission et à la fois passion, instruction, éducation, application, frustration, coopération, tradition, rigodon! Pardon! Je connaissais alors tant de confusion.

Comme un violoniste en herbe qui maudit son violon, je songeais à l'abdication, à faire l'école buissonnière, à déchirer mon diplôme d'hier ou à écrire un gros bouquin farceur intitulé: «Les tribulations d'une ex-professeure».

Et puis, les années ont passé. Le calme s'est installé dans ma maison. Il faut croire que les tenaces violonistes arrivent à capter le silence entre les sons, la mélodie qui efface les tensions.

Aujourd'hui, je connais le secret de l'enseignement. Un secret qui se résume en un seul et puissant mot: APPRENDRE.

Alors maintenant, avec la jeune Marlène ou le sage Simon, j'avance en cadence vers de nouveaux horizons. J'ai appris à moins parler. J'ai appris à mieux écouter. Je ne veux plus m'époustoufler ou m'endormir la tête sous l'oreiller.

J'attends la dictée sans fautes ou la parfaite lecture à voix haute comme le semeur attend sa moisson, animée de foi et de conviction.

Je cherche sans cesse les pousses de vie, les pousses de couleurs et ces pousses intérieures qui façonneront notre demain, le monde extérieur, notre monde des humains.

Eurêka! Je trouve promesse et poésie, force joie et symphonie. Aussi, je prends le temps de me donner du temps. Enfin, voici l'heure de l'évaluation. Je souris! OUI! Je re-choisis ma profession.

Je me fabrique un bulletin de vitalité, décoré de A, de B et de mots encourageants. Je le mérite, j'ai tant travaillé. Pour tout commentaire, j'écrirai cette pensée:

«Chère enseignante,

N'oublie pas de t'accueillir tendrement comme tu accueilles dans ta classe tous ces nouveaux enfants. Pardonne-toi tes grandes idées et en toute humilité, reconnais tes maîtres, tous ces petits enfants.»

INTRODUCTION

Les stages en enseignement: un projet de formation

Apprendre à enseigner, enseigner à apprendre… **Apprendre à enseigner à apprendre**… Quelle belle boucle se dessine dans votre vie! Et voilà que votre projet de devenir enseignant se met à ressembler à une balle tenue au creux de la main: rassurante par l'équilibre de sa forme, dérangeante aussi, car il vous faut faire quelque chose avec cette balle. Jongler? La faire rebondir? Ou la relancer à d'autres, pour partager le plaisir et faire en sorte que le beau mouvement ne s'arrête jamais? **Enseigner, c'est choisir de relancer la balle**: de moi à eux, d'eux à moi, de nous à nous. Ne pas se satisfaire de la garder pour soi. Rejoindre les autres, pour leur mieux-être, en sachant qu'elle reviendra, cette balle, plus rassurante que jamais, enrobée du plaisir qu'elle aura procuré.

Entrer en formation initiale à l'enseignement, c'est entreprendre une transformation, une décentration. Passer de soi aux autres. Passer de l'apprentissage à l'enseignement. Passer d'étudiant à enseignant. Sauter la clôture. Aller voir l'envers du décor. Traverser un miroir. **Réfléchir**… Voilà un des verbes clés de votre formation. Voilà l'essentiel de ce que vous propose ce cahier: entrer à l'intérieur de vous-même pour mieux vous ouvrir aux élèves qui vous sont confiés. C'est ainsi que l'on peut décrire cet incessant mouvement que les exercices suggérés cherchent à encourager et à soutenir jusqu'à ce que, au fil des mois et des années, cela devienne une façon d'être… enseignant, une manière durable d'exercer la profession.

La partie de votre formation à l'enseignement qui se déroule en milieu de pratique vous soumet aux multiples exigences de l'action enseignante. De vrais enfants, remplis d'espoir et de désirs, en route vers leur autonomie personnelle et leur insertion sociale, ayant droit à la meilleure école possible, seront touchés par vos interventions. Vous aurez des responsabilités réelles. Votre capacité à apprendre de votre expérience et à vous ajuster d'une intervention à l'autre sera déterminante pour la qualité de votre cheminement en stages et du service que vous offrirez aux élèves. C'est un **soutien à ce processus continu** que le présent ouvrage vous propose. Si les événements auxquels vous serez confronté sont relativement imprévisibles, la façon dont vous y réfléchirez pour en tirer partie peut, elle, être structurée.

À partir de résultats de recherches et de nombreuses expériences de formation en contexte, nous avons élaboré et rassemblé ici des outils qui s'adressent directement à vous, qui font appel à votre capacité délibérative et à votre autonomie de pensée. Nous concevons ce cahier comme **un îlot réflexif** où vous pourrez à volonté vous retirer pour faire le point sur vos réussites, vos difficultés, sur toutes les suggestions qui vous sont faites, en fin de compte, sur votre façon personnelle de vivre un engagement professionnel.

La première section vous sera utile au début de votre parcours de formation. Elle vous permettra d'identifier les **perspectives personnelles** que vous avez construites au cours de vos années d'études préuniversitaires à propos de l'enseignement en milieu scolaire. C'est en quelque sorte l'identification de votre position de départ, à partir de laquelle vous êtes par la suite invité à vous donner des objectifs de formation liés à une première autoévaluation de vos compétences.

La section suivante contient des exercices d'entraînement à observer et à réfléchir de façon systématique en situation de stage. Puisque le but de ces exercices est le **développement d'habitudes réflexives** fondées sur des faits réels, ils peuvent être utilisés dans tous les stages. En outre, ce sont les trois premières années de votre programme qui sont ici particulièrement visées, de sorte que les habitudes réflexives soient déjà bien en place au moment où vous entreprendrez le dernier stage. Vous aurez sans doute à reproduire plusieurs fois les fiches contenues dans cette section.

Puisque ce dernier stage est l'occasion de démontrer votre manière d'assumer les nombreuses responsabilités d'un enseignant, vous trouverez sans doute très utile de vous y préparer et d'en faire le bilan par les exercices proposés dans la section 3. Contrairement à ceux de la section 2, ils ne soutiennent pas une réflexion au jour le jour, mais plutôt une **réflexion synthèse** qui permet de dégager les grandes lignes de votre action. En troisième et en quatrième année de formation, vous pourrez recourir à ces exercices pour dégager des profils qui semblent vous caractériser et qui vous permettront éventuellement de mieux cerner votre identité professionnelle. Même si cette démarche identitaire ne s'inscrit pas seulement dans les limites de votre formation initiale, il importe de compléter celle-ci avec des repères significatifs fixés par l'expérience de vos stages.

Adapter votre enseignement aux besoins particuliers des élèves sera un défi tout au long de votre carrière. Les enfants changent, d'une époque à l'autre, d'un groupe à l'autre, d'un milieu social à l'autre. L'effort à consentir pour rejoindre chaque élève est quotidien. La quatrième section vous propose des moyens de **prendre en compte les différences**, de miser sur elles au lieu de les déplorer. Cette préoccupation ne commencera probablement à vous habiter qu'après avoir accumulé une certaine expérience. Aux troisième et quatrième stages, l'utilisation des moyens suggérés, sans garantir le succès de l'adaptation de votre enseignement aux différences individuelles, vous aidera à traduire cette préoccupation dans des gestes concrets pour, comme le suggère le titre de cette section, **parfaire votre acte d'enseigner**.

La cinquième et dernière section vous permettra de démontrer votre cheminement vers un acte pédagogique professionnel à l'aide du portfolio. L'utilisation du portfolio de développement professionnel vous aidera à prendre pleinement conscience de l'ensemble de vos connaissances et de vos compétences développées tout au long de votre formation à l'enseignement.

La démarche réflexive que ce cahier *La pratique de l'enseignement* suggère et outille sera d'autant plus formatrice que vous en partagerez les fruits avec les partenaires de votre formation : les enseignants qui vous accueillent, d'autres enseignants avec lesquels vous collaborez, les superviseurs de stages, les directions d'écoles où vous séjournerez, les collègues stagiaires, les formateurs universitaires, les élèves à qui vous enseignerez. Vos interactions avec toutes ces personnes seront d'autant plus significatives que vous vous y engagerez avec la liberté intérieure et l'ouverture qu'une activité réflexive régulière et systématique peut engendrer. Pour reprendre l'image du début de cette introduction, on pourrait dire que réfléchir, c'est bien saisir la balle, prendre le temps de la sentir, pour mieux la relancer.

Bonne joute !

Première SECTION

L'ACTE PÉDAGOGIQUE TEL QU'IL EST PERÇU PAR LE FUTUR MAÎTRE

(perspective initiale)

Ginette Martel, Photographe

Chapitre 1

LES RACINES DE MA CONCEPTION
DE L'ENSEIGNEMENT

Au moment d'entreprendre le long voyage de la formation initiale à la pratique professionnelle de l'enseignement, il importe de prendre du recul vis-à-vis vos expériences d'enseignement antérieures pour faire le point sur les compétences que vous avez déjà commencé à développer (fiche 1).

Ce faisant, vous aurez la possibilité de faire l'autoévaluation de vos compétences de communication, de vos compétences relationnelles et d'autres compétences.

Dans le même esprit, nous vous invitons à revoir vos expériences d'apprenant afin d'en dégager des leçons utiles pour votre carrière d'enseignant.

Qu'ils aient été réalisés en contexte parascolaire et communautaire (fiche 2) ou en contexte scolaire (fiche 3), tous vos apprentissages sont autant de racines qui ont graduellement alimenté la conception de l'enseignement que vous avez construite jusqu'à maintenant.

Les questions posées vous aideront à expliciter des repères implicites de votre action qui se sont définis au fil de vos années de contact avec des situations d'enseignement-apprentissage, et que votre formation à l'enseignement vous conduira sans doute sinon à redéfinir, du moins à recadrer.

JE FAIS L'INVENTAIRE DE MES EXPÉRIENCES D'ENSEIGNEMENT
(CE QUE J'EN RETIENS)

MATIÈRE/SUJET	
Karaté	
ÂGE DES APPRENANTS	
9 à 12 ans	
CONTEXTE D'ENSEIGNEMENT	
Centre des loisirs	

a) Mes compétences de communication:

✎ *Lorsque j'enseigne le karaté, je crois que je m'exprime clairement. Toutefois, je dois parfois expliquer plus d'une fois. Ma voix est forte. On m'entend bien.*

_____

_____

b) Mes compétences relationnelles:

✎ *Je m'entends très bien avec les jeunes. J'ai remarqué que j'ai plus de facilité à établir un lien avec les jeunes qu'avec leurs parents.*

_____

_____

c) Autres compétences:

✎ *Je suis très expressive. Je n'ai pas peur d'encourager les jeunes à prendre des risques.*

_____

_____

_____

4

Fiche **1**

JE FAIS L'INVENTAIRE DE MES EXPÉRIENCES D'ENSEIGNEMENT
(CE QUE J'EN RETIENS)

MATIÈRE/SUJET	
ÂGE DES APPRENANTS	
CONTEXTE D'ENSEIGNEMENT	

a) Mes compétences de communication :

_____

_____

_____

b) Mes compétences relationnelles :

_____

_____

_____

c) Autres compétences :

_____

_____

_____

5

Fiche **2** (EXEMPLE)

JE FAIS UN RETOUR SUR CERTAINES EXPÉRIENCES D'APPRENTISSAGE EN CONTEXTE PARASCOLAIRE OU COMMUNAUTAIRE
(CE QUE J'EN RETIENS)

MATIÈRE/SUJET	
Ballet	

MON ÂGE	
5 à 7 ans	

CONTEXTE D'ENSEIGNEMENT	
École de danse	

✍ *J'ai adoré faire du ballet. Je me souviens de mon enseignante. Elle était toute douce,*

les yeux toujours brillants et souriante. Mme Marie était son nom. J'en garderai

toujours un bon souvenir.

Fiche **2**

JE FAIS UN RETOUR SUR CERTAINES EXPÉRIENCES D'APPRENTISSAGE EN CONTEXTE PARASCOLAIRE OU COMMUNAUTAIRE
(CE QUE J'EN RETIENS)

MATIÈRE/SUJET	
MON ÂGE	
CONTEXTE D'ENSEIGNEMENT	

7

Fiche **3**

JE FAIS UN RETOUR SUR MES EXPÉRIENCES COMME ÉLÈVE

B) *JE DRESSE LA LISTE DES MATIÈRES QUE J'AIME LE MOINS.*

POURQUOI?

LISTE

PRIMAIRE

1.

2.

3.

4.

5.

6.

7.

SECONDAIRE

1.

2.

3.

4.

5.

6.

7.

Fiche **3**

POURQUOI?

LISTE

COLLÉGIAL/ UNIVERSITAIRE

1.

2.

3.

4.

5.

6.

7.

Fiche **3**

JE FAIS UN RETOUR SUR MES EXPÉRIENCES COMME ÉLÈVE

B) JE DRESSE LA LISTE DES MATIÈRES QUE J'AIME MOINS.

POURQUOI?

LISTE

PRIMAIRE

1.

2.

3.

4.

5.

6.

7.

SECONDAIRE

1.

2.

3.

4.

5.

6.

7.

10

Fiche **3**

POURQUOI?

LISTE

**COLLÉGIAL/
UNIVERSITAIRE**

1.

2.

3.

4.

5.

6.

7.

Fiche **3**

JE FAIS UN RETOUR SUR MES EXPÉRIENCES COMME ÉLÈVE

C) *LORSQUE JE REGARDE LES RAISONS QUI SONT ASSOCIÉES À MON INTÉRÊT OU À MON MANQUE D'INTÉRÊT POUR DIVERSES MATIÈRES, JE CONCLUS QUE:*

Fiche **3**

D)   **JE FAIS UN RETOUR SUR MES EXPÉRIENCES COMME ÉLÈVE**

*JE NOMME UN ENSEIGNANT QUE J'AI BEAUCOUP APPRÉCIÉ ET JE TENTE
D'EXPLIQUER POURQUOI.*

☺   **Nom de l'enseignant:** _____

Année scolaire: _____

J'ai beaucoup apprécié cet enseignant parce que:

_____

_____

_____

_____

_____

_____

_____

_____

_____

_____

_____

_____

_____

_____

_____

Fiche **3**

JE NOMME UN ENSEIGNANT QUE JE N'AI PAS APPRÉCIÉ ET JE TENTE D'EXPLIQUER POURQUOI.

Nom de l'enseignant: _____

Année scolaire: _____

J'ai peu apprécié cet enseignant parce que:

_____

_____

_____

_____

_____

_____

_____

_____

_____

_____

_____

_____

_____

_____

_____

_____

Chapitre **2**

MA CONCEPTION DE L'ACTE D'ENSEIGNER ET DU MILIEU SCOLAIRE

Ma conception de l'acte d'enseigner

L'acte d'enseigner est un acte professionnel qui s'exerce au sein d'un système complexe illustré par le schéma suivant:

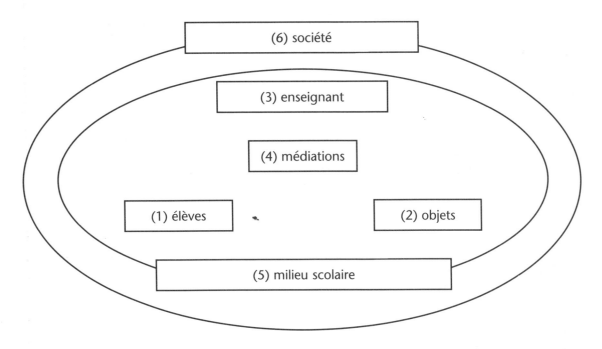

L'enseignant (3) exerce des médiations (4) pour favoriser l'établissement d'une relation d'apprentissage entre des élèves (1) regroupés dans un milieu scolaire (5) et des objets d'apprentissage (2) dont l'ensemble représente les exigences de la société (6).

À partir des différentes composantes de ce système, essayez de clarifier votre conception de l'acte d'enseigner en répondant aux questions de la fiche suivante:

A)   **CONCERNANT LES ÉLÈVES**

Quel est le rôle des élèves dans ce système?	
Qu'est-ce qu'un bon élève selon vous?	
Qu'est-ce qu'un élève en difficulté selon vous?	
Quand vous pensez «élèves», que voyez-vous? Un élève? Un petit groupe d'élèves? Un groupe-classe? Un groupe-école?	
Quelles sont les caractéristiques (âge, comportement, intérêts, provenance sociale, dynamique de groupe, capacités, etc.) d'un groupe d'élèves auxquels vous aimeriez enseigner?	
Quelles sont les caractéristiques (âge, comportement, intérêts, provenance sociale, dynamique de groupe, capacités, etc.) d'un groupe d'élèves auxquels vous n'aimeriez pas enseigner?	

Fiche 4

B)   **CONCERNANT LES OBJETS**

Qu'avez-vous hâte d'enseigner?	
Qu'est-ce qui vous semble plus difficile à enseigner?	
Quels sont les objets d'apprentissage que vous jugez ennuyants? Inutiles?	
Qu'est-ce qui est le plus important d'apprendre à l'école?	

Fiche **4**

C) **CONCERNANT L'ENSEIGNANT**

Quelle image vous vient à l'esprit lorsque vous pensez à un enseignant dans sa classe?	
Comment décririez-vous le rôle de l'enseignant auprès de ses élèves?	
Qu'est-ce qui vous attire le plus dans ce rôle?	
De quel degré de liberté l'enseignant devrait-il jouir selon vous, face à la direction d'école? aux parents? aux programmes d'études?	

Fiche **4**

D) **CONCERNANT LES MÉDIATIONS (c'est-à-dire toutes les interventions de l'enseignant pour favoriser les apprentissages des élèves)**

Qu'est-ce que l'enseignant doit faire selon vous pour que ses élèves apprennent?	
Décrivez une intervention qu'un enseignant a déjà faite auprès de vous qui vous a aidé à apprendre.	
Décrivez une intervention qu'un enseignant a déjà faite auprès de vous qui a nui à votre apprentissage.	

18

E) **CONCERNANT LE MILIEU SCOLAIRE**

Faites un schéma illustrant votre compréhension du rapport entre les entités suivantes:

- Un groupe-classe
- Un enseignant
- Une équipe d'enseignants travaillant dans un même cycle
- Une équipe d'enseignants travaillant dans une même école
- Une direction d'école
- Les parents des élèves d'une classe et d'une école
- Les commissions scolaires
- Le ministère de l'Éducation
- Le ministre de l'Éducation
- Le syndicat des enseignants
- Les personnels professionnels non enseignants dans une école

F)   **CONCERNANT LA SOCIÉTÉ**

Qu'est-ce que la société a à dire à l'enseignant?	
Qu'est-ce que l'enseignant a à dire à la société?	

Ma conception du milieu scolaire et de mon rôle de stagiaire dans ce milieu

Le milieu professionnel de l'enseignement, comme tous les milieux professionnels, possède quelques caractéristiques qui lui sont propres. Au moment de vous insérer dans ce milieu, il est intéressant de confronter les perceptions que vous en avez avec la réalité décrite par certains auteurs.

Fiche **5**

MA PERCEPTION DE LA CULTURE SCOLAIRE

Énoncés au sujet de la culture scolaire	En accord	En désaccord	Pas d'opinion
Le monde de l'enseignement est plutôt individualiste.			
La profession enseignante est très exigeante psycho-logiquement.			
L'enseignement est une profession très peu routinière.			
Les nouveaux enseignants ne sont pas très bien accueillis en milieu scolaire.			
Il existe un plan de carrière pour les enseignants.			
On discute beaucoup d'enseignement et d'apprentissage entre enseignants.			
Les enseignants participent très peu aux décisions relatives aux programmes et à l'organisation scolaire.			
Les enseignants, contrairement à d'autres professionnels, n'utilisent pas un langage spécialisé entre eux.			
Le milieu de l'enseignement est un milieu très progressiste			

Exprimez maintenant vos réactions face à la description de certaines caractéristiques du milieu scolaire identifiées par la recherche.

1. De nombreuses recherches portant sur l'environnement de travail des enseignants reconnaissent que l'isolement physique (Dreeben, 1973) et l'individualisme (Sarason, 1996) caractérisent cette profession. C'est le «chacun sa classe» qui est l'attitude dominante.

Vos réactions

2. Les enseignants sont sans cesse sollicités à interagir avec des personnes, plusieurs centaines de fois par jour, selon une étude de Jackson (1968). C'est un incessant dilemme psychologique pour eux que de choisir à qui accorder leur attention prioritairement (Sarason, 1996). On est de plus en plus exigeant pour eux à cet égard (Hargreaves, 1994).

Vos réactions

3. L'adoption de routines est une façon de faire face à un tel stress (Glickman, 2001). De plus, le contexte administratif impose des routines incontournables aux enseignants: heures de début et de fin des cours, récréations, remises de bulletins, etc. Selon Sarason (1996), les effets d'une vie professionnelle routinière sont observables chez une majorité d'enseignants.

Vos réactions

4. L'enseignement est une profession où les débutants n'ont pas la vie facile (Gordon, 1991): peu de soutien des collègues, peu de ressources, des tâches exigeantes, des attentes imprécises de la part des employeurs et des parents, des pertes d'illusions pédagogiques.

Vos réactions

_____

_____

_____

_____

_____

5. L'enseignement est une profession sans plan de carrière. Du début à la fin de la carrière, on a les mêmes responsabilités et on dispose des mêmes ressources (Glickman, 2001).

Vos réactions

_____

_____

_____

_____

_____

6. De Sanctis et Blumberg (1979) ont constaté que le temps consacré aux discussions à caractère pédagogique dans une école secondaire de New York était en moyenne de deux minutes par journée de classe. Pourtant, Rosenholtz (1995), dans son étude d'écoles efficaces, note qu'une dimension essentielle du succès de ces écoles est que les professionnels qui y travaillent échangent constamment entre eux au sujet des solutions possibles aux problèmes rencontrés.

Vos réactions

_____

_____

_____

_____

_____

7. Goodlad (1984), dans une étude fondée sur l'observation de plus de 1000 classes, a conclu que l'engagement des enseignants dans les décisions au sujet des programmes et de l'organisation scolaire, était presque inexistant.

Vos réactions

_____

_____

_____

_____

8. Une autre conclusion de la même étude fut que l'enseignement était plutôt traditionnel, faisant appel à un ensemble réduit de stratégies.

Vos réactions

_____

_____

_____

_____

9. L'étude classique de Lortie (1975) sur le monde enseignant conclut qu'il s'agit d'un monde sans culture technique partagée. Dans une étude plus récente, Rosenholtz (1989) confirme que la profession enseignante s'exerce dans un contexte de buts imprécis, de méthodes incertaines et d'évaluations ambiguës, ce qui rend le partage difficile et favorise une pratique individualiste.

Vos réactions

_____

_____

_____

_____

Voici maintenant un extrait de texte décrivant la position du stagiaire en enseignement qui reprend contact avec l'école qu'il a connue plus jeune. Lisez-le d'abord, puis répondez aux questions qui suivent:

Fiche 6

MA CONCEPTION DE MON RÔLE DE STAGIAIRE

«Lorsqu'une étudiante ou un étudiant en formation initiale à l'enseignement se présente à la porte d'une école pour y réaliser son stage, il se retrouve dans une situation de fragile équilibre, à la frontière des deux mondes (le scolaire et l'universitaire) qui ont façonné sa conception de son rôle d'éducateur. Partagé entre des espoirs cohabitant de manière un peu confuse, espoirs nés de ses réflexions personnelles, de ses connaissances théoriques, de ses idéaux plus ou moins identifiés et articulés au cours de sa formation à l'université, et de ses représentations du rôle d'enseignant, engrammes de toutes ces années passées dans les écoles, il est en voie de compléter son apprentissage initial des composantes d'un système dont il est lui-même un produit. Étrange position que la sienne qui peut certes évoquer plusieurs images.

À ce point de retour de la boucle de sa formation, se présente-t-il comme l'enfant prodigue à qui l'on ouvre la porte, réintégrant le giron familial sans le contester, ou comme l'adulte conquérant qui cherche à tout défoncer? Faut-il le considérer comme un universitaire qui s'aventure sur un terrain expérimental ou comme un écolier d'expérience qui revient à ses sources d'apprenant pour reprendre le flambeau de la tradition pédagogique qui l'a formé? Doit-il se modeler aux pratiques, appliquer les enseignements théoriques reçus dans ses cours universitaires ou inventer sa pédagogie? Se fondra-t-il dans l'institution qui lui ouvre ses portes ce matin ou réussira-t-il à la marquer de son propre relief? À la fois étranger (car elle est déjà bien loin cette époque de son enfance et de l'apprentissage des langages de base au primaire) et familier (car la profession dont il a le plus de modèles concrets est bien celle d'enseignant qu'il s'apprête à assumer) au milieu de l'enseignement, l'étudiante ou l'étudiant s'y retrouve entre l'université et le terrain. Au carrefour de multiples visions de l'enseignement (celles que lui suggèrent ses professeurs d'université, celles que le milieu scolaire lui offre en modèles et celles qui émergent en lui), il vivra des tensions et intégrera à travers son action en classe des jalons déterminants de sa pratique professionnelle future.»
(Boutet, 2002)

Alors…
Enfant prodigue ou adulte conquérant?

Vos réactions _____

_____

_____

_____

_____

Universitaire novice ou écolier d'expérience?

Vos réactions _____

_____

_____

_____

_____

Vous fondre dans l'institution ou la marquer de votre relief?

Vos réactions _____

_____

_____

_____

_____

Sentiment d'étrangeté ou de familiarité à l'égard du milieu?

Vos réactions _____

_____

_____

_____

_____

_____

Chapitre 3

UNE PREMIÈRE AUTOÉVALUATION

Vos perspectives de départ sur la profession enseignante étant mieux identifiées, il faut maintenant regarder vers l'avant et vous donner un projet de formation. Quel enseignant voulez-vous devenir? C'est en grande partie votre capacité d'évaluer avec honnêteté vos forces et vos faiblesses qui vous permettra de réaliser ce projet. Cette évaluation permet la planification d'objectifs de formation, de développement professionnel ou de perfectionnement.

Dans les pages qui suivent, nous vous invitons à réaliser une première autoévaluation critique d'attitudes, de connaissances et d'habiletés qui contribuent au développement des compétences en enseignement.[1] Rappelez-vous que plus votre autoévaluation sera honnête, plus les objectifs de formation qui s'en dégageront seront pertinents.

Pour remplir la fiche, la légende suivante est proposée:

↑: excellente maîtrise　　　→: maîtrise　　　↓: peu ou pas de maîtrise

---

1. Le document *La formation à l'enseignement* (MÉQ, 2001) est un document essentiel à consulter pour toute personne qui entreprend une formation initiale à l'enseignement au Québec.

AUTOÉVALUATION DE MES ATTITUDES, CONNAISSANCES ET HABILETÉS

A) ATTITUDES

1. QUALITÉS PERSONNELLES

←→→	Je suis enthousiaste.
←→→	Je suis respectueux des élèves.
←→→	Je suis capable de faire face aux multiples exigences du stage.
←→→	Je suis flexible et capable de m'adapter aux situations imprévues.
←→→	J'accepte les autres tels qu'ils sont.
←→→	J'organise ma vie de façon à avoir l'énergie nécessaire pour enseigner.
←→→	J'ai l'esprit d'initiative.
←→→	Je peux mettre des idées nouvelles en pratique.
←→→	Je suis fiable, on peut compter sur moi.
←→→	Je réfléchis avant et après l'action.
←→→	Je suis capable de travailler en équipe.
←→→	Je me rends disponible à mes collègues et à mes élèves.
←→→	J'ai le goût d'apprendre.
←→→	Je prends des risques.
←→→	Le français comme langue et culture me passionne.
←→→	Je suis juste et impartial.

2. ASPECTS PROFESSIONNELS

←→→	Je m'entends bien avec les membres du personnel.
←→→	Je m'intéresse aux différents aspects de la vie de l'école.
←→→	Je connais et je respecte le code de vie de l'école.
←→→	Je connais et je respecte le code d'éthique des stagiaires en enseignement.
←→→	Certaines de ces attitudes se manifestent comme des compétences.

B) CONNAISSANCES

1. CONNAISSANCE DES ÉLÈVES

↑ → ↓ Je m'efforce de connaître mes élèves.

↑ → ↓ J'ai des connaissances générales sur l'enfant et l'adolescent.

2. CONNAISSANCE DE LA MATIÈRE

↑ → ↓ Je maîtrise la matière que j'enseigne.

↑ → ↓ Je connais bien le matériel pédagogique que j'utilise.

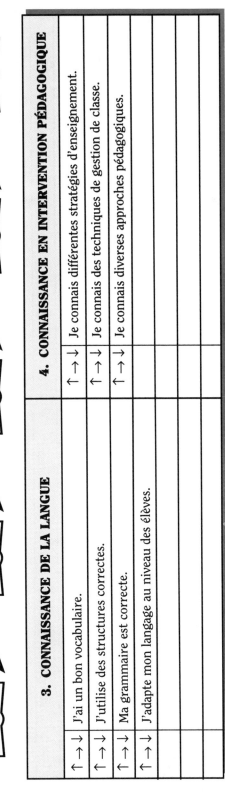

3. CONNAISSANCE DE LA LANGUE

↑ → ↓ J'ai un bon vocabulaire.

↑ → ↓ J'utilise des structures correctes.

↑ → ↓ Ma grammaire est correcte.

↑ → ↓ J'adapte mon langage au niveau des élèves.

4. CONNAISSANCE EN INTERVENTION PÉDAGOGIQUE

↑ → ↓ Je connais différentes stratégies d'enseignement.

↑ → ↓ Je connais des techniques de gestion de classe.

↑ → ↓ Je connais diverses approches pédagogiques.

C) HABILETÉS

1. PLANIFICATION ET ORGANISATION DE L'ENSEIGNEMENT

← → → Je tiens compte des besoins et des intérêts des élèves dans ma planification.

← → → Je planifie pour le développement d'attitudes, de connaissances et d'habiletés.

← → → Je formule les intentions en termes clairs et précis.

← → → Les buts que je propose sont réalistes et conviennent au niveau des élèves.

← → → Je propose diverses activités d'apprentissage.

← → → Il y a cohérence entre les buts, les activités et l'évaluation.

← → → Je planifie différents moyens d'évaluer l'apprentissage.

← → → Je suis capable de prévoir mes activités dans le temps.

← → → Je prépare à l'avance le matériel dont j'ai besoin pour enseigner.

← → → J'exécute de façon efficace les tâches routinières.

← → → Je propose des activités qui permettent d'atteindre les buts visés.

2. INTERVENTION PÉDAGOGIQUE

A) STRATÉGIES D'ENSEIGNEMENT

	← → ↓
← → ↓	Je suis capable d'animer et de favoriser la participation active des élèves.
← → ↓	Je vérifie continuellement la compréhension des élèves.
← → ↓	Je favorise le travail coopératif.
← → ↓	J'inclus dans mes leçons: une amorce, un développement et une conclusion (au primaire comme au secondaire).
← → ↓	Je suis capable d'expliquer de façon à ce que les élèves comprennent.
← → ↓	Je donne des directives précises et complètes.
← → ↓	Mes questions font appel à différents niveaux de pensée.
← → ↓	Mon questionnement est logique et bien développé.
← → ↓	Je m'assure d'établir une cohérence entre les leçons d'une même matière.
← → ↓	Je permets aux élèves de pratiquer avant d'évaluer leur apprentissage.
← → ↓	Je fais appel aux différentes composantes de la motivation pour maintenir l'intérêt des élèves.
← → ↓	J'intègre une dimension visuelle et concrète à mes leçons.
← → ↓	Je m'assure de faire les transitions entre mes activités et mes leçons.

B) TECHNIQUES DE GESTION

← → ↓	Je communique clairement aux élèves mes attentes quant à leur comportement.
← → ↓	J'établis des règlements.
← → ↓	J'utilise judicieusement les renforcements positifs et évite les commentaires négatifs.
← → ↓	J'établis des routines.
← → ↓	J'établis des conséquences logiques.
← → ↓	Je me déplace, j'utilise la proximité, le regard, le ton de la voix, le silence, le dialogue privé, etc.
← → ↓	Je suis constant dans l'application de mes règlements.
← → ↓	Je m'efforce de rendre les élèves autonomes.

2. INTERVENTION PÉDAGOGIQUE (suite)

	C) COMMUNICATION		D) OBSERVATION, ANALYSE ET RÉFLEXION
↑ → ↓	Je m'exprime bien et je communique clairement avec les élèves.	↑ → ↓	J'ai la capacité d'analyser les situations.
↑ → ↓	J'utilise efficacement la communication non verbale.	↑ → ↓	Je sais dissocier faits, opinions et jugements.
↑ → ↓	J'ai une bonne prononciation.	↑ → ↓	Je suis capable de prendre du recul par rapport à ce qui se passe et à ce que je fais.
↑ → ↓	Je varie le ton de ma voix de façon appropriée.	↑ → ↓	Je suis capable de décrire ce que je fais et d'expliquer pourquoi je le fais.
↑ → ↓	Je me soucie de développer un langage correct chez les élèves.	↑ → ↓	Je peux reconnaître mes forces.
		↑ → ↓	Je peux reconnaître mes propres points à améliorer et identifier des solutions aux problèmes.

Chapitre 4

MES OBJECTIFS DE FORMATION

Vous êtes maintenant prêt à identifier vos objectifs de formation pratique pour vos futurs stages. Nous vous encourageons à revoir et préciser vos objectifs de formation tout au long de votre formation initiale. De plus, nous vous invitons à discuter de ces objectifs avec votre enseignant associé et votre superviseur universitaire. Ces deux professionnels de l'enseignement sauront vous aider à choisir certains moyens de formation tels que:

➤ La lecture d'articles et de livres scientifiques ou professionnels

➤ La participation à des activités de formation ou de perfectionnement des commissions scolaires

➤ La participation à des colloques professionnels

➤ Le visionnement de vidéos sur un sujet qui vous préoccupe

➤ La discussion avec un professionnel (psychologue, orthopédagogue, psychoéducateur, etc.) sur un sujet qui vous préoccupe

➤ L'enregistrement audio de votre enseignement

➤ L'enregistrement vidéo de votre enseignement

➤ L'analyse de séquences d'enseignement avec votre enseignant associé ou votre superviseur universitaire ou d'autres stagiaires

➤ La consultation auprès d'organismes professionnels

Fiche **8**

J'IDENTIFIE MES OBJECTIFS DE STAGE

LE PLUS PRÉCISÉMENT POSSIBLE, J'IDENTIFIE QUELQUES OBJECTIFS QUE JE DÉSIRE POURSUIVRE AU COURS DE MON STAGE.

ENSEIGNANT

J'identifie mes objectifs en lien avec mon rôle d'enseignant.

1. _____

2. _____

3. _____

Quels moyens vais-je mettre en place pour atteindre ces objectifs?

1. _____

2. _____

3. _____

ÉLÈVES

J'identifie mes objectifs en lien avec le bien-être des élèves dans ma classe d'accueil.

1. _____

2. _____

3. _____

Quels moyens vais-je mettre en place pour atteindre ces objectifs?

1. _____

2. _____

3. _____

MATIÈRES

J'identifie mes objectifs en lien avec la (les) matière(s) enseignée(s) dans ma classe d'accueil.

1. _____

2. _____

3. _____

Quels moyens vais-je mettre en place pour atteindre ces objectifs?

1. _____

2. _____

3. _____

CONTEXTE SCOLAIRE

J'identifie mes objectifs en lien avec le contexte scolaire dans lequel se déroule mon stage.

1. _____

2. _____

3. _____

Quels moyens vais-je mettre en place pour atteindre ces objectifs?

1. _____

2. _____

3. _____

Deuxième SECTION

L'ACTE PÉDAGOGIQUE OBSERVÉ ET RÉFLÉCHI EN SITUATION DE STAGE

(observation)

Ginette Martel, Photographe

Chapitre 5

MON DOSSIER D'OBSERVATION

On peut estimer que «l'effet-maître», c'est-à-dire l'impact des actions de l'enseignant sur les apprentissages et la réussite des élèves, explique entre 10 et 20 % de la variance des acquis scolaires (Bressoux 1994, 1996, 2001; Mingart 1984, 1991). Il est donc utile, en cours de formation à l'enseignement, de tenter de saisir les diverses composantes de cette action. L'observation des élèves et de l'enseignant demeure un moyen incontournable pour y parvenir. Les stagiaires sont des observateurs privilégiés des pratiques enseignantes à cause de la fréquence de leur présence au sein d'une classe et du partage de cet espace-temps avec un praticien expérimenté. D'une certaine façon, ils sont en état d'observation continue. Cela ne signifie cependant pas qu'ils doivent se cantonner dans une position distanciée, quasi extérieure à leur classe de stage. Cela signifie plutôt qu'ils peuvent et doivent constamment chercher, à travers leur action quotidienne en classe, à recueillir des faits révélateurs. À cette fin, diverses méthodes peuvent être utilisées et quelques pièges doivent être évités.

Des pièges possibles de l'observation

Observer est un processus double: décrire ce qui a été observé et interpréter ce qui a été observé. Collecte de faits et interprétation des faits sont indissociables; nous passons de l'un à l'autre souvent sans nous en rendre compte. Par exemple, en observant le fait qu'un élève bâille, l'observateur, quasi simultanément, accorde une valeur à ce fait en l'interprétant comme un signe d'ennui (Glickman, 2001). Si, sur sa fiche d'observation, il note: *l'élève X trouve la leçon ennuyante* plutôt que: *l'élève X bâille à trois reprises entre 9 h et 9 h 10*, on doit reconnaître qu'il est tombé dans le **piège de l'interprétation**. Pour l'éviter, il faut s'astreindre à la discipline des faits et constamment se demander: *Est-ce que mes notes d'observation **décrivent** le fait ou **interprètent** le fait?* Certaines techniques proposées plus loin favorisent cette discipline.

Notez ici quelques exemples de notes d'observation que vous avez prises et qui révèlent que vous êtes tombés dans le piège de l'interprétation.

Des notes d'observation fortement teintées de jugements

_____

_____

_____

_____

_____

_____

_____

_____

Par ailleurs, la collecte de faits en trop grande abondance peut s'avérer stérile (Bressoux, 2001). Il ne suffit pas de noter, noter et noter encore des faits de la vie de la classe pour en arriver à mieux comprendre le sens de l'action de l'enseignant associé. C'est le **piège de l'accumulation de faits**, qui peut nous laisser croire que les faits parleront d'eux-mêmes à condition d'en noter suffisamment. Le danger de tomber dans ce piège est fortement augmenté, pour les stagiaires en formation, lorsqu'ils passent trop de temps à ne faire qu'observer, surtout lorsqu'ils le font sans intention précise. L'observation pendant l'action, plutôt qu'en dehors de l'action, permet de prêter une attention plus sélective aux faits observés et de retenir ceux qui ont une plus grande incidence sur les événements de la vie de la classe. De plus, cette _participation à l'action tout en observant_ permet de dégager des intentions d'observation plus précises qui pourront rendre plus efficaces d'éventuelles séances d'observation à distance de l'action.

À la suite d'une journée passée en classe de stage, comparez des notes d'observation prises en rapport avec un élève en particulier alors que vous étiez en dehors de l'action, avec des notes prises en rapport avec le même élève alors que vous étiez en action auprès du groupe. En quoi diffèrent-elles ? Que pouvez-vous conclure au sujet des deux positions d'observation ? (C'est-à-dire hors de l'action versus dans l'action.) Laquelle des deux positions vous permet le mieux d'articuler vos prochaines interventions auprès de cet élève ?

Des notes sur l'élève X prises quand j'étais hors de l'action

_____

_____

_____

_____

_____

_____

_____

_____

_____

_____

Des notes sur l'élève X prises quand j'étais dans l'action

_____

_____

_____

_____

_____

_____

_____

_____

_____

_____

Le **piège de l'évaluation** est celui où l'observateur oublie que ses observations sont teintées de ses propres valeurs et biais. Il prétend alors que ses observations, recueillies pour mieux comprendre ce qui guide l'action de l'enseignant (c'est-à-dire se construire un modèle), sont objectivées au point où elles peuvent mesurer la qualité de la pratique de l'enseignant. Il transforme alors une description en évaluation. La façon d'éviter ce piège est de reconnaître ses propres biais, que l'on peut décrire comme des lunettes que porte tout observateur et qui teintent ses perceptions. Cela revient, somme toute, à reconnaître que l'observation nous révèle autant les faits eux-mêmes que notre manière de les percevoir. Observer, c'est aussi se dévoiler à soi-même et reconnaître ce à quoi on accorde de l'importance.

Revoyez vos notes d'observation et reconnaissez-y vos biais, c'est-à-dire ce à quoi vous accordez systématiquement de l'importance.

Mes biais lorsque j'observe sont:

_____

_____

_____

_____

_____

_____

_____

_____

_____

Diverses méthodes d'observation

Il existe plusieurs méthodes d'observation des situations d'enseignement-apprentissage dans lesquelles évolue l'enseignant. Notre but ici n'est pas de vous transformer en expert de l'observation. Cela nécessite un entraînement qui est certes indispensable pour la collecte de données dans le domaine de la recherche, mais qui ne l'est pas pour atteindre votre but, c'est-à-dire la description et l'interprétation d'événements significatifs de la vie de classe en vue de mieux y intervenir. Une rigueur dans vos méthodes d'observation demeure toutefois requise et elle s'appuie avant tout sur votre conscience de l'objet de vos observations.

À cet égard, il existe deux possibilités: ou bien vous observez **avec une intention** précise (par exemple pour établir le partage du temps de parole dans la classe entre l'enseignant et ses élèves), ou bien vous observez **sans intention** précise. Dans le premier cas, vous ne noterez que les faits reliés directement à votre intention. Dans le deuxième cas, vous noterez toutes sortes de faits et en ferez subséquemment l'analyse pour en dégager des significations.

Vos premières observations dans une nouvelle classe sont souvent faites **sans intention** précise. Les deux principales méthodes à utiliser alors sont:

- la **retranscription textuelle** des interactions verbales se déroulant dans la classe: en notant le plus exactement possible ce qui se dit dans la classe pendant une certaine période de temps, vous augmentez votre attention aux interactions qui y ont cours. Il est exigeant de suivre ainsi les échanges verbaux. Des notations abrégées de même que l'utilisation d'enregistrements audio sont utiles pour ne rien perdre des propos.

- la **narration** des événements de la vie de la classe: en écrivant de façon ininterrompue et très descriptive ce qui se passe pendant une certaine période de temps, vous augmentez votre conscience de la grande diversité des événements. En fait, il se déroule souvent tant de choses en même temps que vous ne parviendrez pas à tout décrire et choisirez inévitablement de décrire les événements qui sont les plus significatifs à vos yeux.

Il est préférable d'utiliser d'abord ces deux méthodes dans la position d'observateur **hors de l'action** et, pour de brèves périodes (de 5 à 15 minutes), choisies de façon à assurer une variété de situations d'enseignement-apprentissage. Par la suite, il est possible et même souhaitable d'utiliser ces méthodes dans la position d'observateur **dans l'action** et pour de plus longues périodes. Il s'agit alors de noter, ponctuellement, et en n'interrompant que très brièvement votre participation à l'action, soit le mot pour mot des propos (transcription textuelle), soit la description de certains événements (narration). Vous pourrez par la suite, aussitôt que possible, compléter ces notes de mémoire pour obtenir un portrait d'une période plus prolongée de la vie de la classe. Cette *observation dans l'action* favorise une compréhension à partir de l'intérieur de la dynamique de la classe et vous rapproche du point de vue des acteurs de la situation.

Des objets d'observation plus ciblés se définissent à partir de ces moments d'observation ouverte. Il importe alors de préciser votre intention d'observation à l'égard de cet objet. Il ne suffit pas, lors d'une **observation avec intention**, de limiter votre champ d'observation à un élève en particulier ou à un moment précis d'intervention de l'enseignant. Il faut surtout formuler des questions auxquelles vous espérez mieux répondre grâce à l'observation. Selon la nature de ces questions, vous choisirez d'utiliser telle ou telle méthode. Voici quelques exemples illustrant des méthodes fréquemment utilisées:

QUESTIONS	MÉTHODES D'OBSERVATION
Cet élève est-il enthousiaste face à l'école?	Définition de comportements-repères (dans ce cas-ci caractérisant l'enthousiasme: intonations variées – visage expressif – expression verbale de plaisir – etc.), puis **calcul de fréquence de ces comportements** notés à intervalles réguliers.
Cet enseignant utilise-t-il une approche coopérative?	Définition d'indicateurs qui caractérisent une approche coopérative (forme des équipes – répartit les rôles dans les équipes – définit des tâches requérant la coopération des élèves – etc.), puis **repérage de ces indicateurs** au cours d'une certaine période.
Cet élève est-il bien intégré dans la classe?	**Diagramme** illustrant les interactions entre cet élève et les autres, ainsi qu'entre cet élève et l'enseignant.
Cet enseignant encourage-t-il ses élèves?	**Transcription textuelle sélective** des propos de l'enseignant qui visent à encourager les élèves.
Comment la classe est-elle transformée en lieu agréable pour les élèves?	Rédaction d'un **questionnaire centré** sur l'aménagement de la classe (la couleur des murs, les espaces, le rangement du matériel...), puis réponse aux questions par observation directe.
Qu'est-ce qui ne va pas avec cet élève?	**Dossier anecdotique** complété au cours d'une période prolongée et constitué d'un ensemble de faits sortant de l'ordinaire (anecdotes) décrits le plus objectivement possible.

N'hésitez pas non plus à construire vos propres instruments d'observation, adaptant ces méthodes à vos besoins spécifiques. En effet, ce faisant, vous serez conduits à augmenter l'adéquation entre le *pourquoi* et le *comment observer*. Or, la question du *pourquoi observer* est fondamentale, car c'est en fonction de la réponse à cette question que vous construirez, de plus en plus consciemment, vos interprétations des faits observés.

Pour faciliter le développement de vos habiletés d'observation, nous vous proposons d'utiliser le dossier d'observation qui suit.

Mon dossier d'observation[2]

Stagiaire: _____

École: _____

Ville: _____

Nom de l'enseignante ou l'enseignant associé: _____

Cette section contient cinq fiches d'observation (fiches 9 à 13). Idéalement, vous remplissez une fiche par jour. Vous pouvez changer l'ordre des fiches pour vous adapter aux contraintes du stage ou aux diverses situations pédagogiques. Les fiches devraient être utilisées pour au moins deux de vos stages puisque le contexte du stage et l'avancement de vos pratiques pédagogiques sont susceptibles d'apporter des modifications à vos résultats d'observation.

---

2 Les grilles d'observation qui suivent ont été réalisées en collaboration avec Louisette Lavoie et Charles Sleigher, de l'Université du Québec à Trois-Rivières.

JOUR 1

Fiche 9

OBSERVATION D'UNE PÉRIODE D'ENSEIGNEMENT

Objectif   Observer et analyser de façon critique une période complète d'enseignement

Instrument A- Grille d'observation systématique d'une période d'enseignement

Activité enseignée _____ **date** _____ **heure** _____ **niveau** _____

⇨   Compléter la grille ci-dessous en cochant le ou les énoncé(s) approprié(s) pour chacune des parties de la leçon.

Introduction de la leçon

❏ Rappel des connaissances antérieures   ❏ Élément déclencheur pour susciter la motivation

❏ Lien avec la leçon précédente   ❏ Lien avec le vécu des élèves

❏ Annonce des objectifs du cours   ❏ Autres

Commentaires

_____

_____

_____

_____

Déroulement de la leçon

a) Formules pédagogiques

    ❏ Exposé   ❏ Travail en équipe

    ❏ Discussion   ❏ Exercices

    ❏ Démonstration   ❏ Autres

b) Matériel

    ❏ Rétroprojecteur   ❏ Ordinateur

    ❏ Manuels de l'élève   ❏ Films

    ❏ Feuilles d'exercices   ❏ Autres

c) **Modalités de gestion des comportements**

- ❑ Lumières éteintes
- ❑ Retrait de privilèges
- ❑ Système de récompenses
- ❑ Retrait de l'activité
- ❑ Retrait de la classe
- ❑ Autres

d) **Adaptation de l'enseignement (troubles d'apprentissage ou de comportement, douance, etc.)**

- ❑ Travail en petits groupes
- ❑ Intervention individuelle
- ❑ Travail individuel
- ❑ Matériel didactique différent
- ❑ Autres

Commentaires

_____

_____

_____

_____

Clôture de la leçon

- ❑ Retour sur les objectifs de la leçon
- ❑ Questions orales
- ❑ Questions écrites
- ❑ Mise en pratique des compétences apprises
- ❑ Résumé fait par l'enseignante ou l'enseignant
- ❑ Résumé fait par un ou des élèves

Commentaires

_____

_____

_____

_____

Instrument – Grille d'analyse critique d'une période d'enseignement

À partir des observations faites, analyser brièvement chacune des parties de la leçon observée (compléter en utilisant le verso si nécessaire et en identifiant correctement le numéro de la question).

PREMIÈRE PARTIE – Introduction de la leçon

1. Est-ce que les élèves ont saisi les objectifs de la leçon? Si oui, de quelle façon? Si non, comment faire en sorte qu'ils les saisissent?

_____

_____

_____

_____

2. Est-ce que les élèves semblaient manifester de l'intérêt par les activités proposées? Expliquez.

_____

_____

_____

_____

DEUXIÈME PARTIE – Déroulement de la leçon

3. Les formules pédagogiques utilisées permettaient-elles d'atteindre les objectifs de la leçon? Expliquez.

_____

_____

_____

_____

4. En quoi le matériel utilisé a-t-il favorisé l'apprentissage? Quel autre matériel aurait pu être utilisé?

_____

_____

_____

_____

5. En quoi les modalités de gestion des comportements ont-elles favorisé le bon déroulement de la leçon?

_____

_____

_____

_____

6. Comment s'est effectuée l'adaptation de l'enseignement pour les élèves ayant des besoins particuliers? Qu'aurait-on pu faire de plus (ou différemment)?

_____

_____

_____

_____

TROISIÈME PARTIE – Clôture de la leçon

7. Comment s'est déroulée la fin de la leçon? Auriez-vous pu faire différemment?

_____

_____

_____

_____

8. Suite à cette analyse, formulez une question suscitée par cette observation (qui touche l'enseignement et l'apprentissage).

_____

_____

_____

_____

JOUR 2

Fiche 10

OBSERVATION DE L'INTERVENTION DE L'ENSEIGNANT

Objectif Observer et analyser l'intervention de l'enseignant

Instrument Grille d'observation systématique de trois dimensions du déroulement d'une période d'enseignement

⇨ Compléter la grille ci-dessous en cochant le ou les énoncé(s) approprié(s) et ce, pour au moins deux des trois dimensions de la période d'enseignement.

Introduction	Déroulement	Rétroaction (R) suite à la réponse ou au comportement de l'élève
❑ Obtient l'attention de tous ❑ Donne les consignes par étapes ❑ Précise clairement les directives ❑ Vérifie la compréhension des élèves avant qu'ils commencent l'activité ❑ Anticipe les difficultés ❑ Fournit des indices pour que les élèves orientent leur travail ❑ Autres	❑ Favorise la participation de l'élève ❑ Assure un déroulement sans interruption ❑ Fait preuve de congruence ❑ Exprime des attentes claires ❑ Établit une atmosphère propice à l'apprentissage ❑ Gère bien le temps ❑ Encourage les questions des élèves ❑ Utilise un ton amical ❑ Utilise un ton ferme ❑ Agit avec calme ❑ Autres	❑ R positive ❑ R neutre ❑ R négative ❑ R pour réponse correcte ❑ R pour réponse incorrecte ❑ Répète la réponse de l'élève ❑ Reformule la réponse ❑ Autres

Que retenez-vous de cet exercice d'observation?

_____

_____

_____

_____

_____

_____

_____

_____

_____

_____

_____

_____

_____

_____

_____

_____

_____

_____

_____

_____

_____

_____

JOUR 3

Fiche 11

OBSERVATION D'UNE OU D'UN ÉLÈVE EN CLASSE

Objectif Observer et tracer le portrait d'une ou d'un élève

Instrument Grille d'observation systématique d'une ou d'un élève en classe

⇨ Identifier une ou un élève, l'observer durant une période complète et répondre aux questions suivantes dans les espaces prévus.

1. Comment décririez-vous l'élève que vous avez observé?

_____

_____

_____

_____

2. Comment l'élève observé interagit-il avec l'enseignante ou l'enseignant?

_____

_____

_____

_____

3. Comment l'élève observé interagit-il avec les autres élèves?

_____

_____

_____

_____

4. Comment participe-t-il à la leçon?

_____

_____

_____

_____

5. Quelle(s) action(s) positive(s) l'élève a-t-il faite(s) durant la période observée?

_____

_____

_____

_____

6. Qu'est-ce que vous avez observé d'autre et qui serait de nature à compléter le portrait de l'élève?

_____

_____

_____

_____

7. Quelle(s) question(s) cette observation suscite-t-elle par rapport à l'ensemble des élèves qui composent une classe?

_____

_____

_____

_____

JOUR 4

OBSERVATION DE SITUATIONS PROBLÉMATIQUES EN CLASSE

Objectif Observer, décrire et porter un regard critique sur une situation problématique survenue en classe

Instrument Grille d'observation de situations problématiques en classe

Niveau scolaire : _____ **N^{bre} d'élèves :** _____ **Matière enseignée :** _____

À quel moment de la leçon cette situation est-elle apparue?

Combien d'élèves étaient impliqués? _____

Est-ce que la classe a été interrompue? _____ Durée : _____(minutes)

Décrivez brièvement la situation problématique et la réaction de l'enseignante ou l'enseignant.

_____

_____

_____

_____

⇨ Il y a différentes façons de résoudre des problèmes en classe. Analysez ce que vous avez observé à partir des questions suivantes :

1. Quelle a été la réaction des élèves concernés et celle de la classe?

_____

_____

_____

_____

2. Selon vous, qu'est-ce qui a provoqué cette situation?

_____

_____

_____

_____

_____

3. Quelle solution a été apportée et quel a été le résultat?

_____

_____

_____

_____

_____

4. Comment auriez-vous réagi dans une situation analogue?

_____

_____

_____

_____

_____

_____

JOUR 5

Fiche 13 (EXEMPLE)

OBSERVATION DE LA DYNAMIQUE DE CLASSE

Objectif 1A Observer et identifier trois éléments de la dynamique de classe au cours d'une leçon

Instrument Grille d'observation systématique de la dynamique de classe

⇨ À l'aide du plan de classe, observer et noter vos observations sur une période de 20 minutes consécutives en utilisant les symboles suivant :

Éléments de la dynamique de classe	
Symboles	**Signification**
✓	L'enseignante ou l'enseignant questionne l'élève.
R+	L'enseignante ou l'enseignant donne de la rétroaction positive à l'élève.
R^n	L'enseignante ou l'enseignant donne de la rétroaction neutre à l'élève.
R−	L'enseignante ou l'enseignant donne de la rétroaction négative à l'élève.
→	Élève 19 qui se tourne vers l'élève 20.
←	Élève 3 qui se tourne vers l'élève 2.
←→	Élèves 11 et 12 qui s'interpellent l'un l'autre.
− − − − − →	L'enseignante ou l'enseignant se déplace.

Plan de classe

1.	2.	3.	4.	5.	6.
7. ✓	8. R+✓	9. ✓	10.	11.	12.
13.	14. R+✓	15.	16. R− R−	17.	18.
19.	20. ✓	21.	22. ✓	23. R^n	24.
25. ✓	26.	27.	28. ✓	29.	30.

Les chiffres correspondent aux élèves.

57

Objectif 1B Analyser l'impact des éléments observés sur la dynamique de la classe

➪ Exemple inspiré du plan de classe présenté précédemment

Éléments	Analyse
➤ Déplacement de l'enseignante ou l'enseignant	Le côté droit de la classe est «oublié» lors de l'enseignement. Il faudrait peut-être se déplacer davantage vers ce côté lors de l'enseignement.
➤ Rétroaction négative	Une ou un élève a reçu deux rétroactions négatives lors de la période observée. Il faudrait lui fournir d'autres types de rétroaction pour favoriser l'estime de soi...
➤ Questionnement	Deux élèves (côté droit) jasent ensemble. S'il y avait plus d'interaction avec le côté droit de la classe lors de l'enseignement, peut-être que ces deux élèves seraient plus attentifs...

JOUR 5

Fiche **13**

OBSERVATION DE LA DYNAMIQUE DE CLASSE

Objectif 1A Observer et identifier trois éléments de la dynamique de classe au cours d'une leçon

Instrument Grille d'observation systématique de la dynamique de classe

⇨ À l'aide du plan de classe, observer et noter vos observations sur une période de 20 minutes consécutives en utilisant les symboles suivant :

Éléments de la dynamique de classe	
Symboles	**Signification**
✓	L'enseignante ou l'enseignant questionne l'élève.
R+	L'enseignante ou l'enseignant donne de la rétroaction positive à l'élève.
R^n	L'enseignante ou l'enseignant donne de la rétroaction neutre à l'élève.
R−	L'enseignante ou l'enseignant donne de la rétroaction négative à l'élève.
x → y	Élève x qui se tourne vers l'élève y.
x ← y	Élève y qui se tourne vers l'élève x.
←→	Élèves qui s'interpellent l'un l'autre.
− − − − − →	L'enseignante ou l'enseignant se déplace.

Plan de classe

59

Objectif 1B Analyser l'impact des éléments observés sur la dynamique de la classe

Éléments	Analyse

Chapitre 6

MA RÉFLEXION COMME MOMENT D'UNE DÉMARCHE D'APPRENTISSAGE EXPÉRIENTIEL

La figure qui suit illustre le cycle d'apprentissage expérientiel (Lewin, 1951 ; Kolb, 1984). Puisque, en stage, vous faites l'expérience directe de la profession enseignante, ce cycle permet de rendre compte de votre démarche d'apprentissage et de situer le rôle de votre réflexion dans cette démarche.

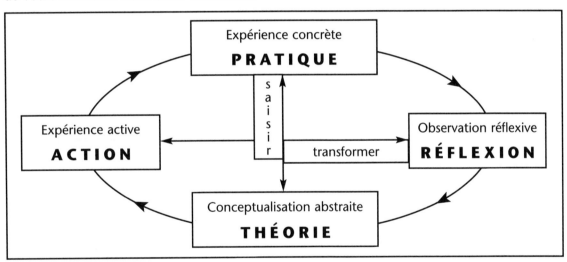

Cette représentation de l'apprentissage permet de relier action et réflexion ainsi que pratique et théorie, alors que souvent on les oppose. Remarquez d'abord qu'elle pose deux modes de **saisie de la réalité** (axe du *saisir*) : par expérience concrète (*i.e.* par la pratique) et par conceptualisation abstraite (*i.e.* par la théorie). Ainsi considérée, la théorie n'est pas éloignée de la réalité, comme le déplorent souvent les étudiants en formation à l'enseignement, mais plutôt, elle est une façon de saisir le réel. Lewin disait d'ailleurs que rien n'est plus pratique qu'une bonne théorie. La qualité de votre saisie de l'expérience de séjour en milieu scolaire, c'est-à-dire la façon dont vous vous appropriez cette expérience sous toutes ses dimensions (cognitive, affective, sociale, etc.), est fort déterminante de l'ampleur des apprentissages que vous ferez.

QUELQUES ÉLÉMENTS RÉFLEXIFS

Pour mieux saisir pratiquement la réalité de mon stage, je vis les expériences concrètes suivantes :

➤

➤

➤

➤

Pour mieux saisir théoriquement la réalité de mon stage, j'utilise les concepts suivants :

➤

➤

➤

➤

La **transformation de l'expérience** saisie s'effectue par l'action et par la réflexion (axe du *transformer*). En somme, l'action sur le réel alimente la réflexion et la réflexion influence l'action, le tout dans un cycle incessant. Cette interaction entre l'action et la réflexion est d'autant plus source d'apprentissage qu'elle s'enrichit à la fois de pratique et de théorie. L'action est ici considérée comme une expérimentation liée à un moment d'observation réflexive.

Schön (1994) explique que le praticien réflexif, en *conversant* avec les situations problématiques dans lesquelles il intervient, se pose constamment la question *Qu'est-ce qui arriverait si…?* et tente d'y répondre par ces **trois modes d'expérimentation** :

– Par exploration, c'est-à-dire simplement en essayant diverses méthodes ;

– Par un changement délibéré dans sa pratique, changement orienté vers une fin précise ;

– Par vérification d'hypothèses, en tentant de vérifier laquelle parmi plusieurs sera la plus efficace.

À chaque mode d'expérimentation, associez une situation problématique que vous vivez en classe. Autrement dit, décrivez :

➤ *Une situation pour laquelle vous croyez que l'exploration de diverses méthodes est la façon appropriée de réagir :*

Description de la situation :

Face à cette situation, j'explorerai les méthodes suivantes :

➤ *Une situation pour laquelle vous avez en tête un changement précis de pratique à mettre en place :*

Description de la situation :

Face à cette situation, je mettrai en place le changement suivant :

➤ *Une situation pour laquelle vous aimeriez tester quelques hypothèses :*

Description de la situation :

Face à cette situation, je vérifierai les hypothèses suivantes :

Vous pourriez également, si cela convient mieux à votre cas, tenter d'appliquer les trois modes d'expérimentation à une même situation. Le choix de situations qui vous préoccupent vraiment est d'ailleurs indispensable à la réussite de cet exercice. Mieux vaut n'en traiter qu'une s'il n'y en a qu'une qui vous interpelle.

Description de la situation :

Face à cette situation, j'explorerai les méthodes suivantes :

Face à cette situation, je mettrai en place le changement suivant :

Face à cette situation, je vérifierai les hypothèses suivantes :

Chapitre 7

MA RÉFLEXION POUR LIER THÉORIE ET PRATIQUE

Pendant votre formation, les conceptualisations abstraites (théories) sur l'enseignement et l'apprentissage vous sont davantage présentées en milieu universitaire à l'intérieur des cours. Les expériences concrètes (pratique), quant à elles, vous sont davantage accessibles à l'intérieur des stages en milieu scolaire. Chaque milieu propose des perspectives différentes mais complémentaires sur les situations d'enseignement-apprentissage.

Considérons d'abord les **différences** :

	Formation en milieu universitaire	**Formation en milieu scolaire**
Principale activité de formation	Cours	Stages
Moyens prioritaires de saisie de la réalité	Lecture et écriture	Observation et action
Moment privilégié du cycle d'activité professionnelle de l'enseignant ou l'enseignante	Préaction (planification) et postaction (analyse)	Interaction (mise en œuvre)
Perspective dominante sur les situations d'enseignement-apprentissage	Douter et questionner	Réussir l'intervention
Défi institutionnel central	Proposer une intervention éducative rigoureuse en lien avec des résultats de recherche généralisables	Faire face de façon pertinente aux exigences de l'intervention éducative en contexte réel

Comme stagiaire, vous vous retrouvez au centre de cet écart institutionnel. Comment vivez-vous cette tension? Comment réussissez-vous à profiter de cette double contribution à votre formation?

Considérons maintenant la **complémentarité** des deux milieux, à l'aide de l'illustration suivante:

Cette figure permet de relier la contribution des deux milieux dans lesquels vous évoluez pendant votre formation. En effet, elle illustre le fait que, lorsque vous intervenez en classe pendant votre stage (rectangle de gauche), vous rencontrez des situations problématiques qui vous font réfléchir (cercle du centre) et que des conceptions théoriques présentées dans des cours universitaires (rectangle de droite) peuvent vous aider à résoudre.

Le **rectangle de gauche** rappelle que l'action de l'enseignant ou l'enseignante ne peut être prescrite de l'extérieur. L'enseignant ou l'enseignante, en tant que professionnel autonome et responsable, peut et doit agir sur plusieurs variables (Bru, 1991):

- Les variables de structuration et de mise en œuvre des contenus, c'est-à-dire le choix et l'organisation des connaissances ainsi que la traduction des objectifs en activités sur les contenus et sur les objets à connaître;

- Les variables liées au processus, c'est-à-dire le climat général d'apprentissage installé par l'enseignant ou l'enseignante, la répartition des initiatives entre l'enseignant et les apprenants, les registres de la communication (du ton familier jusqu'au ton très savant) et les modalités d'évaluation;

– Les variables relatives au cadre et au dispositif, c'est-à-dire les lieux et l'organisation de l'espace, l'organisation temporelle, le groupement des élèves et le matériel.

Au moment de la préaction, c'est-à-dire lorsqu'il planifie et prépare son action, l'enseignant doit prendre des décisions en lien avec ces différentes variables. Prenez quelques planifications que vous avez déjà faites et vérifiez si vous avez prévu jouer sur toutes ces variables:

Fiche **15**

VÉRIFICATION DE LA PRISE EN COMPTE DES VARIABLES DANS MA PRÉACTION

VARIABLES	Présente dans ma planification	Non présente dans ma planification
1. Choix et organisation des connaissances		
2. Traduction des objectifs en activités		
3. Climat d'apprentissage		
4. Répartition des initiatives entre l'enseignant et les apprenants		
5. Registres de la communication		
6. Modalités d'évaluation		
7. Lieux et organisation de l'espace		
8. Organisation temporelle		
9. Groupement des élèves		
10. Matériel		

Plus vous vous préoccupez, au moment de la préaction, d'agir sur toutes ces variables, plus vous augmentez les possibilités que le moment d'interaction avec les élèves soit efficace par rapport aux buts poursuivis. Bien sûr, tous les imprévus inhérents au déroulement d'une situation d'enseignement-apprentissage font en sorte que vous pourrez quand même rencontrer des difficultés et ne pas atteindre les objectifs. Dans ce cas, la richesse de votre réflexion préaction sur plusieurs variables vous fournira autant de repères pour une analyse postaction révélatrice. Vous pourrez ainsi dépasser un vague sentiment d'insatisfaction pour, par la suite, parvenir à cerner des aspects plus ciblés de votre intervention qui pourraient être améliorés.

Mieux vous identifierez les problèmes rencontrés, plus vous serez en mesure de trouver des solutions ou des éléments de solution dans les considérations théoriques que les cours vous présentent et dont il est question dans le **rectangle de droite**. On peut regrouper ces considérations sous quatre types (Legendre, 1993):

❑ Des théories explicatives qui, sur la base de données empiriques, c'est-à-dire recueillies dans des situations réelles et analysées de multiples façons, établissent des corrélations entre diverses variables de la situation éducative. Ce type de liens de cause à effet n'est pas facile à établir en sciences de l'éducation, du fait du grand nombre de variables en jeu et, surtout, de la quasi-impossibilité d'en isoler certaines;

❑ Des théories praxiques qui sont élaborées à partir de l'expérience de nombreux éducateurs. Lorsque l'interprétation de ces différents acteurs face à certaines de leurs actions devient partagée, on peut penser qu'un niveau de généralisation suffisamment élevé pour être qualifié de théorique est atteint;

❑ Des théories axiologiques qui proposent des finalités, identifient des principes, nomment des valeurs orientant l'action éducative. Ces théories sont le fruit de réflexions fondamentales sur l'éducation;

❑ Des théories critiques qui s'appuient sur des réflexions fondamentales, comme les théories axiologiques, et en plus sur une remise en question des postulats sur lesquels se fonde la pratique éducative dans nos sociétés. Ces théories marquent une rupture par rapport aux perspectives généralement répandues.

Faites maintenant **l'exercice d'établir un lien entre pratique et théorie** en suivant la démarche suivante:

1) Planifiez une situation d'enseignement-apprentissage en prévoyant une action explicite sur toutes les variables (voir fiche 15) en jeu dans une telle situation;

2) Pendant la mise en œuvre de cette situation dans votre classe de stage, identifiez des aspects qui vous questionnent;

3) Après l'intervention, reliez chaque aspect de votre questionnement pendant l'action à l'une ou l'autre des dix variables;

4) Déterminez quel type de théorie vous semblerait utile pour répondre en partie à votre questionnement;

5) Cherchez, dans les cours suivis dans votre formation, des éléments de réponses théoriques à votre questionnement sur votre pratique. Une rencontre avec l'un ou l'autre de vos formateurs universitaires pour lui soumettre votre questionnement pourrait bien compléter cette démarche.

La fiche qui suit peut vous être utile pour réaliser cette démarche.

Fiche **16**

DÉMARCHE RÉFLEXIVE THÉORIE/PRATIQUE

Planification en lien avec les dix variables	Questionnement pendant l'action	Considérations théoriques jugées pertinentes
1-		
2-		
3-		
4-		
5-		

Planification en lien avec les dix variables	Questionnement pendant l'action	Considérations théoriques jugées pertinentes
6-		
7-		
8-		
9-		
10-		

Une autre façon de rejoindre des considérations théoriques à partir de préoccupations nées dans la pratique est d'utiliser un incident critique. La fiche qui suit présente un modèle d'analyse d'incidents critiques recueillis en stage et fournit un exemple de texte réflexif produit par une étudiante à l'aide de ce modèle[3]. Vous pourrez vous en inspirer et produire vous-même plusieurs textes fondés sur un incident critique.

Fiche **17**

MODÈLE D'ANALYSE D'INCIDENTS CRITIQUES RECUEILLIS EN STAGE

Un incident critique est ici considéré comme une situation ou un fait digne de mention parce qu'il est fortement ressenti par le stagiaire déstructurant sur le plan cognitif ou déstabilisant sur le plan affectif, positif ou négatif, et dont l'analyse réflexive est susceptible de stimuler la progression professionnelle.

1. **Description de l'incident critique**

   a) Je mets en contexte (avant, après l'événement, caractéristiques des protagonistes, du milieu, du climat de classe, du moment de la journée, de l'activité en cause, âge des enfants, niveau scolaire…);

   b) Je décris des observations, des faits et des comportements, sans jugement. Je transcris des propos si c'est approprié.

2. **Premières explorations du vécu**

   a) Après m'être mis à l'écoute de mon expérience interne (mes sensations, sentiments, pensées et intuitions), j'explique comment et pourquoi cet événement a été fortement ressenti;

   b) Ici et maintenant, j'explique comment «résonne» encore cet événement en moi;

   c) Des constatations, de nouvelles interprétations ou des questions surgissent.

3. **Découvertes et apprentissages tirés de cette expérience**

   En scrutant cette expérience, j'énonce ce que je découvre sur moi ou ce que j'apprends de nouveau sur la réalité éducative. Quels sont les fondements théoriques et/ou implicites de mon action? Ai-je suivi des mythes et des conventions sans fondements? Ai-je respecté le cadre d'intervention que je m'étais fixé? Je ressors le sens et la définition de ma théorie d'intervention spontanée. Je précise mes points forts et ce que je veux améliorer.

---

3 Nous remercions Andrée-Claire Brochu et Nicole Hébert de l'Université du Québec à Trois-Rivières de nous permettre de reproduire ici ce modèle qu'elles ont conçu et souvent utilisé dans leurs activités de formation. Nous remercions aussi l'étudiante qui a accepté que soit publié son texte à titre d'exemple.

4. Généralisation des apprentissages (interprétation selon de nouvelles perspectives)

a) Généralisation expérientielle : je compare l'essence de mon expérience à d'autres similaires déjà vécues (comme enfant-adolescente, étudiante, stagiaire, collègue, amie, employée...). Je mets en relief des ressemblances et des différences et j'en conclus quelque chose qui m'aidera à déterminer une nouvelle direction pour agir.

Si j'ai l'occasion de discuter de cette expérience avec une personne significative (ex. enseignant associé, superviseur, professeur, collègue-jumelé, ami...), j'explique, au besoin, comment je dialectise les points de vue ;

b) Intégration théorique : grâce aux notions théoriques vues dans mes cours, mes lectures ou mes recherches, je peux réexaminer l'incident critique sous une nouvelle perspective et réajuster mes points de repère. Je solidifie mes fondements pour une meilleure intervention future. (Autrement dit, je redéfinis mon cadre d'intervention, les principes que je respecterai à l'avenir.)

5. Réinvestissement dans la pratique

a) Je planifie comment je mettrai concrètement en œuvre les principes que je viens de synthétiser en tenant compte du contexte ;

b) Je planifie les moyens que je prendrai pour parvenir à mes fins (changement d'attitude, consolidation d'habiletés, appropriation de nouveaux savoirs) dans une perspective de formation continue.

Exemple d'un texte produit à partir du modèle d'analyse d'incidents critiques

1- Description de l'incident critique

Mon incident critique s'est produit dans le salon de l'unité où je travaille, une unité dans un centre jeunesse, composée de 13 adolescents âgés entre 13 et 18 ans. Cet incident est survenu le 11 septembre 2001, journée de la tragédie terroriste aux États-Unis. Il était environ 9 h 30 lorsqu'un éducateur est venu m'informer de la catastrophe chez nos voisins américains. L'équipe d'éducateurs et moi-même avons convenu d'amener mon groupe-classe au salon afin de visionner les événements en direct à la télévision. J'ai pu constater qu'un des jeunes riait en voyant les images terrifiantes. Nous avons fermé la télévision afin de faire un retour sur la situation, répondre aux questions et apaiser les craintes des jeunes. J'ai demandé à ce jeune comment il pouvait rire devant un tel événement. Il m'a répondu: «Je trouve ça cool de voir du monde se faire tuer, ça met de l'action, puis moi, j'aime ça voir ça. J'espère qu'il va y avoir une troisième guerre mondiale.»

2- Premières explorations du vécu

J'étais très choquée par ses propos et je me sentais surtout très impuissante, car je n'avais pas de mots pour intervenir face à de tels commentaires, et les propos qu'il disait n'allaient pas du tout dans le sens de ma pensée et de mes valeurs. De plus, mon sentiment d'impuissance face à cette situation s'explique par mon incapacité à faire une intervention adaptée à cet événement. Je ne trouvais aucun mot à dire, prise entre la colère en tant qu'être humain et le professionnalisme d'enseignante-intervenante.

Aujourd'hui, lorsque je repense à cet incident, les paroles que ce jeune a pu dire n'ont plus le même poids que lorsqu'elles ont été prononcées. Je suis capable de regarder cet événement plus objectivement et avec un certain détachement émotif.

3- Découvertes et apprentissages tirés de cette expérience

Par cette expérience, j'ai découvert que j'avais une certaine difficulté à garder une attitude d'enseignante aidante lorsque mes émotions sont provoquées par les propos de personnes qui ne sont pas dans le même champ de valeurs que moi. Cette difficulté à demeurer objective dans une telle situation amène chez moi l'impossibilité de faire une intervention verbale adéquate, car mes émotions prennent le dessus sur ma capacité d'analyser rapidement une situation, et de trouver les bons outils en matière d'intervention verbale. J'ai pu constater que je ne suis pas la seule à avoir eu cette réaction puisque certains éducateurs qui étaient présents ont également été incapables de répliquer à ce jeune.

4- Généralisation des apprentissages

a) Généralisation expérientielle

Je constate que d'une part, lorsqu'il s'agit d'une situation où il est question de moralité et de valeurs humaines, il m'est la plupart du temps très difficile de gérer mes émotions, de les exprimer et de défendre mes points de vue. D'autre part, lorsque des divergences d'opinions ou de visions surgissent dans des domaines comme la santé, la famille, l'amour et l'éducation, mon coffre à outils est alors beaucoup mieux garni, ce qui m'aide à être en mesure de répondre aux gens, de discuter avec eux tout en gardant un contrôle sur mes émotions et ma sensibilité. Je peux alors faire part de mes points de vue et trouver des arguments valables afin d'exprimer et défendre mes opinions.

b) Intégration théorique

C'est en lisant divers auteurs qui traitent des émotions et des relations avec les autres que j'ai pu regarder mon incident critique avec un nouveau regard et une plus grande compréhension. Dans l'ouvrage de Monique Tremblay (1992), qui s'intitule «L'adaptation humaine», j'ai pu lire que l'interprétation que se fait une personne d'une situation donnée joue un grand rôle sur la façon dont cette personne réagira à la situation. Comme le mentionne Tremblay (1992, p. 333): «L'organisation particulière de chaque personnalité, le bagage expérientiel, les défenses privilégiées, les valeurs individuelles et la signification personnelle de l'événement, sont des éléments qui, avec d'autres, entrent en jeu dans l'interprétation de la situation.»

Ces différents aspects viennent éclairer le pourquoi de ma réaction face aux propos de mon élève.

Daniel Goleman (1997, p. 32), dans son livre intitulé *L'intelligence émotionnelle*, parle de l'amygdale comme étant la spécialiste des questions émotionnelles. Cette dernière commanderait toutes les émotions. Dans le livre de Goleman, le neurologue américain Joseph Ledoux nous fait part du rôle fondamental de l'amygdale dans l'activité affective du cerveau. Ce dernier explique «comment l'amygdale parvient à déterminer nos actions avant même que le cerveau pensant, le néocortex, ait pu prendre une décision». De plus, on mentionne comment les émotions peuvent paralyser la pensée. C'est la mémoire active qui est responsable de conserver les données indispensables afin d'accomplir une tâche ou encore de résoudre un problème donné. Le cortex préfrontal est responsable de la mémoire active. On explique qu'une émotion forte, comme la colère ou l'angoisse, peut provoquer une déficience neuronale en détruisant la capacité du lobe préfrontal à entretenir la mémoire active.

Cette théorie explique très bien ce qui s'est produit avec mon élève. Le contenu de son discours m'a grandement choquée. Ainsi, j'ai éprouvé beaucoup de difficulté à demeurer objective et à intervenir en utilisant mes facultés intellectuelles puisque j'étais régie par mes émotions.

Dans le livre *La relation d'aide* de Jean-Claude Hétu (1994, p. 25), l'auteur parle du phénomène de l'empathie. C'est en lisant sur les fondements de l'empathie que j'ai pu constater que je n'avais pas eu d'empathie envers mon élève. L'empathie est la capacité de saisir le vécu de l'autre en se plaçant dans son univers à lui. L'auteur mentionne qu'il est également important de communiquer, par la formulation de reflets, ce que l'on ressent comme aidant lorsque l'on se place dans l'univers de l'aidé. De plus, Hétu fait part d'une notion très importante à respecter lorsque l'on fait de la relation d'aide, notion que je n'ai pas respectée. Hétu explique que, pour faire de la relation d'aide, l'aidant doit se constituer à l'intérieur de lui-même ce qu'on pourrait appeler parfois une «caisse de résonance empathique». Il s'agit de faire taire en soi les bruits provenant de ses propres préoccupations, idées, croyances, valeurs et expériences.

5- Réinvestissement dans la pratique

Après avoir fait l'analyse de mes réactions et suite aux nouveaux apprentissages que j'ai pu faire par mes lectures, je peux avouer que je me sens beaucoup mieux outillée pour faire face à une éventuelle situation où mes émotions tenteraient de prendre le pouvoir sur ma raison. Une lecture que j'ai trouvée très intéressante et aussi très aidante pour mieux comprendre ma réaction émotive est celle de Goleman. On oublie parfois que nos réactions sont régies par un système biologique sophistiqué. Avant de lire Goleman, j'ignorais ce qu'était l'amygdale et encore plus le rôle très important et dominant qu'elle joue sur les réactions émotives. Il est évident que de nombreux moyens s'offrent à moi afin de mieux contrôler mes réactions émotives. Toutefois, je crois que la base que je dois mettre en place se retrouve dans la petite citation de Socrate que Goleman mentionne dans son livre: «Connais-toi toi-même.» Une phrase simple et courte qui en dit long. Si j'apprends à mieux me connaître, à identifier mes réactions et mes émotions (comme ce travail m'a permis de le faire), je serai davantage en mesure de ne pas me laisser emporter par les émotions et j'aurai une meilleure capacité de réflexion. Comme le mentionne Mayer dans le livre de Goleman, les individus se répartissent en trois catégories différentes selon les rapports qu'ils entretiennent avec leurs émotions. Il y a ceux qui ont conscience d'eux-mêmes, ceux qui se laissent submerger par leurs émotions, et ceux qui acceptent leurs dispositions d'esprit. Évidemment, la première catégorie est celle où se retrouvent les individus avec un caractère attentif qui les aide à maîtriser leurs émotions. Ainsi, toutes les raisons sont bonnes pour que j'apprenne à mieux me connaître.

Un autre moyen que je retiens et dont il a déjà été question en classe est celui de la formulation des reflets. C'est une méthode que je considère très efficace puisqu'elle n'attaque en aucun point l'autre personne et permet à cette dernière de prendre conscience du sentiment vécu.

Grâce à ce travail, je pourrai désormais mieux intervenir dans une situation qui fait appel à mes émotions. Je serai mieux disposée à m'adapter à la situation et à recourir aux bons moyens pour y remédier, car j'ai maintenant conscience de ce qui engendre les réactions émotives et je suis aussi mieux disposée à les utiliser adéquatement.

Troisième SECTION

L'ACTE PÉDAGOGIQUE INTÉGRÉ

(action autonome)

Ginette Martel, Photographe

Chapitre 8

MON ACTION PROFESSIONNELLE FONDÉE SUR LA RÉFLEXION

Les deux chapitres précédents ont servi à préciser le **rôle de la réflexion dans l'apprentissage de la profession enseignante**, à partir de votre expérience de stage, **ainsi que dans l'établissement de liens entre la formation théorique et la formation pratique** au cours de votre programme de formation. Ce chapitre vous propose une **vision intégrée de l'acte professionnel** d'un enseignant à partir de son action dans les situations de pratique, et à partir de sa réflexion sur cette action et ces situations.

Décrire l'enseignant comme un praticien réflexif ne signifie pas simplement que l'enseignant réfléchit. Il ne serait en cela nullement différent de tout autre être humain. La réflexion du praticien réflexif a ceci de particulier qu'elle est méthodique et issue non seulement du désir de surmonter des difficultés ponctuelles, mais aussi de la volonté permanente d'améliorer ses interventions (Perrenoud, 2001).

Paquay, Altet, Charlier et Perrenoud (1996) parlent d'ailleurs d'un *savoir analyser* plutôt que d'un *savoir réfléchir* et le décrivent comme une mégacompétence indispensable à l'enseignant, qui se développe «*à partir des pratiques et pour faire réfléchir sur des pratiques réelles*» (p. 20). Cette idée de partir de la pratique est essentielle pour comprendre la description que Schön (1992) fait du parcours réflexif d'un professionnel de l'enseignement.

Ce parcours s'amorce d'abord et avant tout par l'expérience d'une situation d'enseignement-apprentissage. Même dans sa forme la plus immédiate, l'expérience s'accompagne d'un **savoir-dans-l'action** (*knowing-in-the action*) intuitif, tacite et appuyé sur des préstructures qui guident l'action et qui déterminent la réaction première à la situation. Le premier pas de distanciation de ce savoir entièrement contenu dans l'action, c'est une **réflexion-dans-l'action** (*reflection-in-action*) qui n'a pas nécessairement besoin du médium des mots et qui permet des ajustements dans le feu de l'action sans en interrompre le déroulement. Vient ensuite, selon Schön, la **conversation avec la**

situation (*conversation with the situation*); c'est le discours intérieur qui interrompt momentanément l'action (*back talk that momentarily interrupts action*) [Schön, 1992, p. 125].

Pensez ici à un moment précis d'une situation récente pendant laquelle vous vous êtes tenu un discours intérieur. Décrivez ce moment et surtout décrivez votre discours intérieur.

Fiche

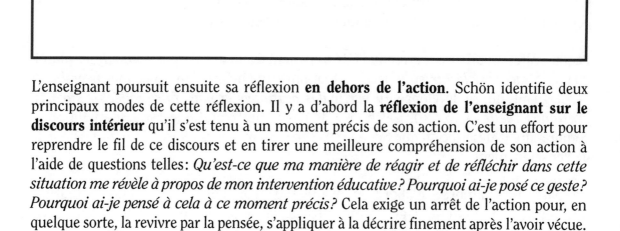

L'enseignant poursuit ensuite sa réflexion **en dehors de l'action**. Schön identifie deux principaux modes de cette réflexion. Il y a d'abord la **réflexion de l'enseignant sur le discours intérieur** qu'il s'est tenu à un moment précis de son action. C'est un effort pour reprendre le fil de ce discours et en tirer une meilleure compréhension de son action à l'aide de questions telles: *Qu'est-ce que ma manière de réagir et de réfléchir dans cette situation me révèle à propos de mon intervention éducative? Pourquoi ai-je posé ce geste? Pourquoi ai-je pensé à cela à ce moment précis?* Cela exige un arrêt de l'action pour, en quelque sorte, la revivre par la pensée, s'appliquer à la décrire finement après l'avoir vécue.

Prenez maintenant le temps de réfléchir sur le moment décrit plus haut et sur le discours intérieur que vous vous teniez à ce moment. Pensez-vous avoir eu raison de penser ainsi? Remettez-vous en question certains éléments de ce discours intérieur? Qu'est-ce que votre manière de réagir et de réfléchir dans cette situation vous révèle à propos de votre intervention éducative?

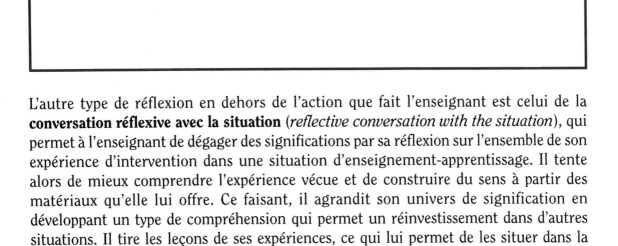

L'autre type de réflexion en dehors de l'action que fait l'enseignant est celui de la **conversation réflexive avec la situation** (*reflective conversation with the situation*), qui permet à l'enseignant de dégager des significations par sa réflexion sur l'ensemble de son expérience d'intervention dans une situation d'enseignement-apprentissage. Il tente alors de mieux comprendre l'expérience vécue et de construire du sens à partir des matériaux qu'elle lui offre. Ce faisant, il agrandit son univers de signification en développant un type de compréhension qui permet un réinvestissement dans d'autres situations. Il tire les leçons de ses expériences, ce qui lui permet de les situer dans la continuité de la construction de son savoir-enseigner.

Choisissez cette fois non pas un moment précis d'une situation, mais l'ensemble d'une situation d'enseignement-apprentissage dont vous avez assumé la responsabilité. En lien avec cette situation, écrivez un paragraphe de réflexion pour chacune des six composantes du système complexe d'enseignement-apprentissage décrites au chapitre 1.

DÉMARCHE RÉFLEXIVE POUR LES SIX COMPOSANTES DU SYSTÈME ENSEIGNEMENT-APPRENTISSAGE

Description de la situation d'enseignement-apprentissage
Réflexion sur les élèves (sur le groupe-classe ou sur quelques-uns d'entre eux)
Réflexion sur les objets de savoir
Réflexion sur vous-même comme personne enseignante dans cette situation
Réflexion sur les médiations que vous avez faites pour favoriser les apprentissages
Réflexion sur les caractéristiques du milieu scolaire ayant influencé cette situation (ex.: grille-horaire, tâche de l'enseignant, espace, matériel, etc.

Réflexion sur les aspects sociaux liés à cette situation (caractéristiques du milieu socio-économique, débats de société, décrochage, garçons-filles, multiethnicité, etc.)

Lorsque vous aurez fait les exercices précédemment suggérés à plusieurs reprises, prenez le temps de relire vos réflexions (par exemple, à mi-stage et à la fin du stage) et identifiez ce à quoi vous accordez de l'importance lorsque vous réfléchissez durant vos actions en classe ou sur elles. Essayez de dégager des **constantes de votre réflexion**. Les questions suivantes peuvent vous être utiles. Elles commencent toutes ainsi :

Fiche **18d**

Quand je réfléchis sur mon action pédagogique...

1. est-ce que j'exprime des prises de conscience de mes croyances, de mes valeurs, de mes représentations ?

_____

_____

2. est-ce que je m'appuie sur de nombreuses observations faites en classe ?

_____

_____

3. est-ce que je m'appuie sur des incidents critiques, c'est-à-dire des événements marquants ?

_____

_____

4. est-ce que je prends en compte les caractéristiques spécifiques du contexte?

_____

_____

5. est-ce que je suis influencé par l'opinion de quelqu'un d'autre qui était présent dans la situation sur laquelle je réfléchis?

_____

_____

6. est-ce que je me demande comment faire pour que la situation se déroule bien?

_____

_____

7. est-ce que je m'interroge sur les apprentissages réalisés par les élèves dans les situations mises en place?

_____

_____

8. est-ce que je me préoccupe de la qualité de la communication entre les divers participants à la situation?

_____

_____

9. est-ce que je questionne les fondements des décisions prises et leurs conséquences pour la vie future des élèves?

_____

_____

10. est-ce que je fais preuve d'ouverture d'esprit?

_____

_____

11. est-ce que je démontre un sens des responsabilités?

_____

_____

12. est-ce que j'exprime des points de vue sincères et authentiques?

_____

_____

Évidemment, il ne s'agit pas de répondre simplement «oui» ou «non» à chaque question, mais plutôt de nuancer les réponses pour qu'en somme, elles reflètent vraiment votre profil de réflexion, votre perspective sur les situations d'enseignement-apprentissage. Cette perspective évoluera d'une année de formation à l'autre. Il est important d'en prendre conscience, car elle sous-tend votre action en classe.

Nous ne saurions terminer cette section sur la réflexion en enseignement sans souligner l'importance de la **dimension collective de l'activité réflexive.** Que ce soit pour s'ouvrir à la coopération, accroître leurs capacités d'innovation, faire face à la complexité croissante de leurs tâches, accumuler leurs savoirs d'expérience ou évoluer vers la professionnalisation[4], les enseignants ont besoin de réfléchir ensemble. Or, selon Glickman (2001), on ne discute généralement pas de l'enseignement entre enseignants. L'organisation de la tâche ne permet pas souvent aux enseignants de se rencontrer et lorsqu'ils le font, c'est la plupart du temps pour recevoir de l'information au sujet de problèmes non pédagogiques.

Des études sur les raisons du succès d'écoles exemplaires (Little, 1982; Rosenholtz, 1985; Pajak et Glickman, 1987) identifient une constante: les professionnels de l'enseignement dans ces écoles dialoguent constamment à la recherche de solutions aux problèmes rencontrés. Cette habitude de réfléchir à voix haute en présence de collègues peut commencer à s'acquérir en stage de formation initiale à l'enseignement. Pourquoi ne pas commencer par un partage entre stagiaires? À égalité d'expérience, tous les stagiaires d'une même école peuvent peut-être plus facilement exprimer entre eux qu'en présence d'enseignants d'expérience les problèmes rencontrés, sans crainte d'être évalués ou trop conseillés. Essayez, avec au moins deux autres stagiaires, d'abord de reconstruire un problème rencontré, puis d'y chercher des solutions. Complétez ensuite la fiche suivante.

---

4 Cette liste est extraite d'une liste établie par Perrenoud (2001) des dix raisons de former les enseignants à réfléchir sur leur pratique.

Le problème comme vous le percevez avant d'en discuter avec d'autres
Les questions, perceptions, exprimées par les collègues stagiaires
Les solutions construites en interaction
Description de la contribution des autres à votre réflexion sur votre problème de départ

Chapitre **9**

MON STYLE D'ENSEIGNEMENT

Il n'est pas facile de cerner son style personnel d'enseignement. Il n'est pas facile non plus d'identifier rapidement son style sans s'être donné suffisamment d'expériences d'intervention auprès de divers groupes permettant de dégager des constantes de sa manière d'enseigner. Les exercices qui suivent visent non pas à faire en sorte que vous apposiez une étiquette définitive à votre style, ce qui risquerait de limiter votre réflexion, mais plutôt à fournir des outils pour y réfléchir. Ils seront sans doute plus significatifs vers la fin de votre formation.

D'abord, il existe certainement une forte relation entre votre manière d'apprendre et votre manière d'enseigner. Le cycle d'apprentissage expérientiel, déjà présenté au chapitre 6, permet de définir des styles d'apprentissage à partir de l'expérience. La référence à ce schéma vous sera utile pour essayer de vous situer dans l'un ou l'autre des styles décrits dans la citation suivante:

> *C'est en s'appuyant sur la conception de l'apprentissage expérientiel élaborée par Kolb (1976) que Honey et Mumford (1986) définissent quatre styles d'apprentissage: **actif, réfléchi, théoricien et pratique**. Chacun de ces styles peut s'inscrire tout comme chez Kolb dans une phase d'un cycle d'apprentissage et exprimer une préférence pour un mode.*
>
> *Le style **actif-réfléchi** se réfère à une personne ouverte d'esprit et flexible. Elle s'engage totalement et sans idées préconçues dans des expériences nouvelles. Envisageant le changement avec optimisme, elle agit en fonction d'un mode d'expérience concrète. Si son enthousiasme est un atout, elle a cependant tendance à entreprendre une action rapidement et à réfléchir seulement par la suite aux conséquences. Elle apprend par l'action et s'approprie ainsi la connaissance. En enseignement, elle sait bien relever le défi de la mise sur pied d'un projet pédagogique. Par contre, elle s'avère moins intéressée à sa consolidation à long terme. Elle aime le changement et dès que l'emballement pour une activité diminue, elle s'empresse d'en trouver une nouvelle.*
>
> *Une personne de style **réfléchi-théoricien** aime examiner une situation sous différents angles avant de s'y engager. Prudente, elle privilégie un mode d'observation et une réflexion avant d'agir. Elle écoute attentivement les autres et mémorise les informations qui lui sont présentées. Discrète et tolérante, elle n'entreprend une action qu'une fois qu'elle a bien considéré les conséquences. Elle ne s'engage que si elle a bien pesé le pour et le contre et est assurée à l'avance de la validité de l'action à entreprendre. Elle apprend en s'accordant le temps de réfléchir et de donner un sens à ce qu'elle entend, regarde ou lit. En enseignement,*

sa minutie peut être à son avantage si elle ne tarde pas inutilement à prendre des décisions. Dans certaines circonstances, l'action doit être entreprise promptement et une réflexion prolongée comporte plus de risques qu'une intervention rapide.

*Le style **théoricien-pratique** reflète la préférence d'une personne pour l'organisation et l'intégration de ses observations à des systèmes de référence. Rationnelle, cette personne conçoit le niveau d'abstraction qui sous-tend toute action et le privilégie. Elle aime analyser et synthétiser. Elle s'intéresse aux concepts de base, aux principes, aux modèles théoriques et aux systèmes de pensée. Elle s'approprie la connaissance en se référant à des modèles théoriques et en concevant comment ils peuvent être mis en application. Dans son enseignement, elle a besoin d'approfondir les fondements de ce qui est préconisé et fait preuve d'intolérance vis-à-vis de tout ce qui ne relève pas d'une logique.*

*Une personne de style **pratique-actif** s'intéresse à la mise en application et à la généralisation des idées, des théories, des techniques. Elle en évalue rapidement l'efficacité et accomplit les tâches nécessaires pour les expérimenter. Elle a les deux pieds sur terre et aime prendre des décisions et résoudre des problèmes. Elle choisit des moyens judicieux qui lui permettent de mettre en pratique ce qu'elle apprend. Dans son enseignement, elle définit clairement les étapes à suivre dans l'implantation d'un projet pédagogique et, une fois la décision prise de passer à l'action, elle fait avancer la démarche rapidement. Travaillant avec empressement, elle devient impatiente lorsque les discussions s'éternisent et n'aboutissent pas.* (Théberge, Brabant et Leblanc, 1996)

La recherche menée par Théberge, Brabant et Leblanc (1995) auprès de 604 étudiants en formation initiale à l'enseignement démontre que les deux styles d'apprentissage les plus fréquents sont le style réfléchi-théoricien et le style pratique-actif.

Fiche **19a**

Quel est votre style d'apprentissage à partir de l'expérience ?

_____

_____

_____

_____

Quelles incidences votre style d'apprentissage expérientiel a-t-il sur votre manière d'enseigner?

_____

_____

_____

_____

Abordons maintenant la question de votre style d'enseignement sous l'angle de votre préférence pour une classe traditionnelle ou une classe constructiviste telles que définies par Glickman (2001, p. 102). Parcourez d'abord le tableau suivant:

Comparaison entre la classe traditionnelle et la classe constructiviste

Composantes de la vie de la classe	Classe traditionnelle	Classe constructiviste
But de l'éducation	Transmission du savoir	Construction du savoir
Programme	Centré sur le contenu, rigide et séquentiel	Centré sur les problèmes, flexible et en réseau
Accent éducatif	Bribes d'informations En largeur	Des grandes idées En profondeur
Stratégies utilisées	Lecture Questions de l'enseignant pour obtenir des réponses correctes Récitations Travaux pratiques suivis de rétroactions de la part de l'enseignant Pratiques individuelles des étudiants	Discussions ouvertes Questions posées par les étudiants Résolution de problèmes Enquêtes et expérimentations Apprentissage actif Apprentissage coopératif Réflexions individuelles et de groupe sur les savoirs construits
Évaluation	Distincte de l'apprentissage Vise à mesurer l'apprentissage et à classer les étudiants Tests objectifs Déterminée par l'institution ou par l'enseignant	Intégrée à l'apprentissage Coplanifiée par l'enseignant et les étudiants Vise à comprendre les constructions des étudiants Authentique Évaluation du processus et du produit d'égale importance Inclut une autoévaluation, une évaluation par les pairs et une évaluation de groupe

Discutez de votre préférence pour l'un ou l'autre type de classe en fonction des différentes composantes. Rappelons ici que l'étiquette traditionnelle n'a aucune connotation négative.

_____

_____

_____

_____

_____

_____

_____

La classification faite par Tomasello, Kruger et Ratner (1996) des divers modèles de pédagogie permet aussi de réfléchir sur ce à quoi vous accordez de l'importance lorsque vous enseignez. Elle met en évidence que votre style d'enseignement s'appuie sur une certaine vision de l'apprenant, sur le choix de mettre l'accent sur certains buts de l'enseignement et sur la mise en place de certaines activités types.

MODÈLES DE PÉDAGOGIE		
Vision de l'apprenant	**But de l'enseignement**	**Activité type**
Imitateur	Acquérir un savoir-faire	Observation Imitation Entraînement
Apprenant didactique	Acquérir des savoirs	Lectures Cours Travaux écrits
Penseur	Construire un savoir par la pensée critique et réflexive	Découvertes Questions ouvertes
Collaborateur	Participer à des interactions	Discussions Apprentissage coopératif

À quelle vision de l'apprenant adhérez-vous le plus?

_____

_____

_____

Quels sont les buts auxquels vous accordez le plus d'importance dans votre enseignement?

_____

_____

_____

Quelles sont les activités types que vous utilisez le plus souvent?

_____

_____

_____

En dernier lieu, voici un extrait d'un article de Tochon (1992) qui présente trois images de ce qu'est un bon enseignant. Cet article examine les courants majeurs de recherche sur l'enseignement et distingue trois épistémologies appartenant à des courants de recherche contemporains, chacun définissant l'enseignement à sa manière. Ainsi, le paradigme *processus/produit* définit l'enseignement en termes d'efficacité, alors que l'étude cognitive de l'enseignement isole les paramètres d'une *expertise* enseignante et que la recherche sur la connaissance de l'enseignant situe la qualité d'un enseignant dans sa capacité de *transformer la connaissance:*

> 1. ***L'efficacité de l'enseignant au sein du paradigme processus/produit.*** *La recherche processus/produit étudie la relation entre l'enseignement et le rendement des élèves du point de vue des interactions maître/élèves et, plus récemment, du point de vue de l'attention de l'élève et des contextes qui la favorisent. Cette première épistémologie ou manière de voir l'enseignement est essentiellement déterminée par l'idéal d'un meilleur rendement aux tests d'aptitude dans chaque discipline. Les enseignants dont les élèves réussissent le mieux aux tests standardisés sont des enseignants efficaces.*

2. ***L'expertise de l'enseignant*** *dans l'étude cognitive et ethnométhodologique de l'enseigne-ment. Le concept d'expert vient de la recherche en intelligence artificielle sur les systèmes experts, celle-ci étant fondée sur l'expression verbale des procédures que les experts d'un domaine emploient pour résoudre des problèmes particuliers à leur champ de compétence. Le transfert de ce concept à l'enseignement a donné deux lignes de recherche (cognitive et ethnométhodologique) utilisant la verbalisation, par l'enseignant chevronné, de ses plans et de ses pratiques. Les experts sont des gens aptes à résoudre des dilemmes complexes propres à leur domaine.*

3 ***La connaissance de l'enseignant*** *telle qu'elle émerge du précédent courant par l'entremise des travaux du Holmes Group (1986) et de la Fondation Carnegie (Carnegie Task Force on Teaching as a Profession, 1986), telle qu'elle se manifeste dans l'approche personnelle des travaux de Connelly et Clandinin (1988) et dans l'approche transformationnelle de Tochon (1990c). Le bon enseignant tient moins compte de paradigmes d'efficacité ou d'expertise que d'une relation humaine, personnelle et profonde avec l'élève. Sa connaissance de la matière est suffisamment étendue pour pouvoir à tout moment se libérer du contenu et adapter la matière à l'élève en un processus constant de transformation de la connaissance dont il est partie prenante. (Shulman, 1990; Tochon, 1990b)*

Fiche 19d

Quelle image de l'enseignant vous convient le plus: ***l'efficace? l'expert? le transfor-mateur de connaissances?*** Expliquez pourquoi et illustrez votre réponse à l'aide d'exemples puisés dans votre pratique. Vous pouvez évidemment ne pas souscrire à une seule image et vous servir des trois pour décrire vos préférences.

_____

_____

_____

_____

_____

_____

_____

_____

_____

_____

_____

Chapitre 10

MA GESTION DE CLASSE[5]

Le concept de gestion de classe[6] est vaste. Il réfère à l'ensemble des actes posés par une enseignante ou un enseignant au sein des situations d'enseignement-apprentissage vécues par son groupe-classe. Ces actes sont tous orientés vers un but: faire en sorte que tous les élèves apprennent. Une telle conception ne restreint pas la gestion de classe à la capacité d'exercer la discipline dans une classe de façon à maintenir un climat propice à l'apprentissage. Cette capacité est importante, mais elle fait partie d'une compétence plus large qui est celle de gérer la classe pour favoriser le développement et l'apprentissage de tous les élèves.

Ainsi définie, la gestion de classe touche à tous les aspects de l'intervention éducative en milieu scolaire formel. L'ensemble des cours suivis pendant votre formation initiale ainsi que toutes vos expériences de stages alimentent le développement de votre capacité à gérer une classe. À partir de toutes les propositions qui vous sont faites, il vous appartient de dessiner votre profil de gestion de classe en fonction de vos valeurs éducatives et de vos ressources personnelles et en prenant en compte la complexité des contextes réels dans lesquels vous intervenez.

La figure suivante permet d'illustrer et de mettre en relation les divers aspects de l'action d'un enseignant au sein de la classe.

---

5 Nous remercions Jacqueline Joly, Richard Robillard et Jocelyne Sauvé, chargés de cours à l'Université de Sherbrooke, pour leur contribution à la réflexion sur les diverses composantes d'une gestion de classe.

6 Nous préférons l'expression *action médiatrice de l'enseignant* à celle de *gestion de classe*, mais nous utilisons quand même cette dernière parce qu'elle est répandue.

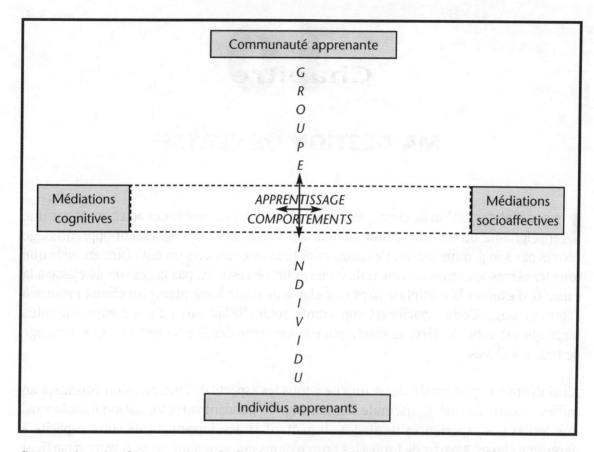

Cette action s'orchestre autour de deux axes: l'axe individu-groupe et l'axe apprentissage-comportements. L'axe individu-groupe permet de situer les interventions de l'enseignant selon qu'elles sont plus ou moins orientées vers la structuration du groupe ou vers la prise en compte des différences individuelles. L'axe apprentissage-comportement situe les interventions en fonction de l'accent mettent sur les multiples processus d'apprentissage en cours ou sur les interactions sociales dans la classe.

Une première réflexion sur votre gestion de classe est possible en fonction de ces deux axes. Lorsque vous êtes en charge d'un groupe-classe, êtes-vous généralement plus centré sur le fonctionnement du groupe ou sur l'engagement individuel des élèves (axe individu-groupe)?

_____

_____

_____

_____

sur le soutien aux différents processus d'apprentissage ou sur les relations entre les élèves (axe apprentissage-comportement)?

_____

_____

_____

_____

_____

Les pôles reliés par ces axes ne s'opposent pas. Ils créent cependant une tension que chaque enseignant doit parvenir à équilibrer en fonction de son style et de ses croyances. Bien gérer une classe, c'est atteindre un tel équilibre fondé sur une cohérence entre une approche personnelle et l'exigence qui est faite à tout enseignant en milieu scolaire formel de prendre en compte les caractéristiques du groupe et des individus qui le composent, et de soutenir efficacement les processus d'apprentissage individuels et en interaction.

Présentons maintenant séparément chacun des pôles. Le pôle de la classe vue comme **communauté apprenante** repose sur une conception de l'apprentissage comme conséquence de la participation sociale des individus à des intentions partagées dans une pratique quotidienne. L'apprentissage coopératif, la gestion participative, la pédagogie de projet, l'apprentissage en réseaux, la collaboration avec les parents et les autres intervenants sont des composantes de la gestion de classe qui peuvent être associées à ce pôle.

Fiche 20b

Dans quelle mesure et de quelle manière accordez-vous de l'attention aux aspects liés à une conception de la classe comme communauté apprenante?

Le pôle des **individus apprenants** (que l'on peut associer à la pédagogie différenciée ou, comme certains préfèrent la nommer, la pédagogie équitable) oriente l'action médiatrice de l'enseignant vers le respect et la valorisation des différences et l'engagement réel de chacun des élèves dans les situations d'enseignement-apprentissage mises en place. La méta-cognition, l'enseignement stratégique, la pédagogie interculturelle, la pédagogie de l'inclusion, les approches pédagogiques permettant de respecter les divers styles d'apprentissage et types d'intelligence sont des aspects de la gestion de classe reliés à ce pôle.

Fiche **20c**

Dans quelle mesure et de quelle manière accordez-vous de l'attention aux aspects de la gestion de classe liés au pôle des individus apprenant?

Sous les deux pôles de médiation sont regroupées les actions délibérées de l'enseignant pour favoriser le développement cognitif, social et affectif des élèves. Le pôle des **médiations cognitives** réfère aux stratégies de planification et de mise en œuvre de démarches pédagogiques favorisant l'intégration des savoirs par les élèves, c'est-à-dire l'établissement de liens entre les différents objets de savoir, la perception de leur signification dans le réel et la capacité de les utiliser en contexte.

Fiche 20d

Comment faites-vous, lors de vos planifications et de vos interventions en classe, pour favoriser l'intégration des savoirs par les élèves?

Le pôle des **médiations socioaffectives** réfère aux actions de l'enseignant pour mettre en place un système de discipline en classe, gérer des conflits interpersonnels et motiver les élèves.

Fiche **20e**

> *Comment faites-vous, lors de vos planifications et lors de vos interventions, pour établir une discipline en classe, gérer des conflits interpersonnels et motiver les élèves?*

C'est par ses habitudes d'**observation** des élèves, par sa manière d'entrer en **communication** avec eux, par ses décisions concernant l'**organisation matérielle et spatiotemporelle** de la classe et par son processus d'**analyse réflexive** que l'enseignant peut parvenir à opérer toutes les médiations nécessaires pour un fonctionnement de classe harmonieux, et au service du développement et de l'apprentissage de tous les élèves.

Complétons donc ce chapitre qui vous invite à faire le point sur les diverses composantes de votre gestion de classe[7] par les descriptions suivantes:

---

7 La réflexion proposée dans ce chapitre est plus pertinente pour des étudiants en fin de formation qui ont déjà accumulé une large expérience d'intervention.

Fiche **20f**

➤ Vos habitudes d'observation. (Quand observez-vous? Comment notez-vous vos observations? Comment utilisez-vous vos observations?)

_____

_____

_____

_____

_____

_____

_____

_____

➤ Votre manière de communiquer avec les élèves. (Écouter ou parler? Garder une certaine distance? Utiliser l'humour? Partager vos sentiments? Démontrer de l'enthousiasme? Faire preuve d'empathie? S'intéresser à leur vie en dehors de l'école?...)

_____

_____

_____

_____

_____

_____

_____

_____

➤ Vos préférences en termes d'aménagement de l'espace, de gestion du temps, d'utilisation de divers matériels.

_____

_____

_____

_____

_____

_____

_____

_____

➤ Votre processus d'analyse réflexive. (Par-delà les exigences de réflexion qui vous sont faites pendant votre formation, notamment à travers ce volume, quand prenez-vous le temps d'analyser votre action? Comment procédez-vous? Comment réinvestissez-vous les fruits de vos analyses?)

_____

_____

_____

_____

_____

_____

_____

_____

_____

Quatrième SECTION

PARFAIRE L'ACTE PÉDAGOGIQUE
(adaptation)

Ginette Martel, Photographe

Chapitre 11

MA RÉACTION FACE AUX DIFFÉRENCES

COMMENT EST-CE QUE JE RÉAGIS DEVANT UN ENFANT DIFFÉRENT?

Dans votre rôle d'enseignant, vous êtes entouré d'enfants qui présentent une variété de compétences cognitives, affectives et sociales. Consciemment ou non, vous réagissez face aux enfants différents dans ma classe. Vous devez donc apprendre à identifier vos réactions afin de vous assurer de la qualité de votre intervention dans le respect des différences de vos élèves.

Charue (1996) a identifié une série de réactions à la différence: des réactions passant du dérangement au désir d'aider la personne. La fiche 21 permet l'identification de vos réactions vis-à-vis un élève différent dans votre classe. Vous devez vous assurer d'identifier avec franchise vos réactions vis-à-vis cet élève. Vous devez ensuite tenter d'expliquer cette réaction: pourquoi vous réagissez ainsi.

Une fois la réaction identifiée, vous serez ensuite en mesure d'évaluer son impact sur votre intervention pédagogique. Les fiches 22 à 24 vous aideront à évaluer l'impact de la différence sur votre intervention pédagogique en tenant compte des perspectives de l'élève différent, de ses parents et de ses pairs.

Nous vous invitons à discuter de vos réactions face aux différences avec vos collègues, votre enseignant associé et votre superviseur universitaire.

QUELLES SONT MES RÉACTIONS VIS-À-VIS L'ENFANT DIFFÉRENT ?

Nom de l'élève différent : _____

RÉACTIONS	POURQUOI EST-CE QUE JE RÉAGIS AINSI ?
Le dérangement: «Ah! Comme il m'est désagréable de rencontrer ça!»	
L'évitement: «Vite, passons de l'autre côté.»	
Le retrait: «Je quitte cette place immédiatement.»	
La mise à distance: «Je reste de l'autre côté de cette salle.»	
La négation: «Bon, faisons comme si je ne le voyais pas!»	

Fiche **21**

POURQUOI EST-CE QUE JE RÉAGIS AINSI?

RÉACTIONS

La peur:
«Et si c'était moi!»

Le rejet:
«Je ne peux supporter cela, qu'il s'en aille!»

La compassion:
«Mon Dieu, comme c'est terrible!»

La pitié:
«Oh, le pauvre enfant, comme cela fait pitié!»

La curiosité:
«Tiens, il lui manque un pied, que lui est-il donc arrivé?»

Fiche **21**

POURQUOI EST-CE QUE JE RÉAGIS AINSI?

RÉACTIONS

La protection:
«Viens donc, tiens-moi le bras, je vais te faire traverser.»

Le désir d'aider:
«Que puis-je donc faire pour lui?»

108

Fiche **22**

QUELS SONT LES IMPACTS PÉDAGOGIQUES DE MES RÉACTIONS VIS-À-VIS L'ENFANT DIFFÉRENT?

Nom de l'élève différent : _____

Ma (ou mes) réaction(s) identifiée(s) à la fiche 21 : _____

Est-ce que cette (ou ces) réaction(s) me permet(tent) réellement d'intervenir efficacement avec cet élève? Une intervention pédagogique efficace devrait favoriser les apprentissages cognitifs, affectifs et sociaux de cet élève dans le respect de ses différences.

L'ENSEIGNANT :

QUESTIONS	COMMENTAIRES – RÉFLEXIONS – EXPLICATIONS
Est-ce que j'ai pris le temps de lui parler?	
Qu'est-ce que je lui ai dit?	
Est-ce que j'ai pris le temps de l'écouter?	
Qu'est-ce qu'il m'a dit?	

109

Fiche 22

Est-ce que j'ai pris le temps d'identifier ses forces? Quelles sont-elles?

Est-ce que j'ai pris le temps d'identifier ses champs d'intérêt (contextes scolaires et autres)? Quels sont-ils?

Quelle est ma perception de la différence de cet élève?

Quelle est la perception de l'élève lui-même de sa différence?

Quels objectifs dois-je me fixer pour améliorer mon acte pédagogique et favoriser les apprentissages de cet élève?

Fiche 22

Nom de l'élève différent: _____

Ma (ou mes) réaction(s) identifiée(s) à la fiche 21 : _____

QUESTIONS	EXPLICATIONS
Quels objectifs s'est fixés cet élève pour faciliter ses apprentissages?	
Quels moyens vais-je utiliser pour l'aider à atteindre ses objectifs?	

111

Fiche **22**

Nom de l'élève différent : _____

Ma (ou mes) réaction)s) identifiée(s) : _____

LES PAIRS :

QUESTIONS	EXPLICATIONS
Est-ce que je connais la perception des pairs ?	
Est-ce que les pairs peuvent aider dans l'atteinte de l'objectif de cet élève ?	
De quelles façons ?	
Est-ce que les pairs peuvent aider dans l'atteinte de mes propres objectifs ?	
De quelles façons ?	

112

Fiche 22

QUESTIONS

Est-ce que je connais la perception de ses parents?

Est-ce que les parents de cet élève peuvent aider dans l'atteinte des objectifs de leur enfant?

De quelles façons?

Est-ce que les parents de cet élève peuvent m'aider dans l'atteinte de mes propres objectifs?

De quelles façons?

EXPLICATIONS

113

CONCLUSION

À la suite de toutes ces questions, comment résumer ce que je ferai pour tenir compte de cette différence?

12
Chapitre

MIEUX RÉPONDRE AUX BESOINS
DE TOUS MES ÉLÈVES

Une intervention positive s'intéresse à l'élève en tant que personne, à ses champs d'intérêt et à son potentiel plutôt qu'à ses limites et ses comportements peu appropriés. En tant qu'enseignant, vous serez appelé à planifier des interventions pédagogiques et psychopédagogiques pour certains de vos élèves dont ceux ayant des besoins particuliers. Pour ce faire, nous vous proposons d'abord la démarche MAPS (Making Action Plans) développée par Pearpoint, Forest et O'Brien (1996).

MAPS comprend sept questions de base. Les trois premières sont destinées aux parents avec, ensuite, de la rétroaction par les pairs. Les questions 4 à 7 sont destinées aux enseignants, administrateurs et autres intervenants toujours en présence des parents, de l'enfant et des pairs. Une première rencontre vise à établir un profil de l'élève. Suite à cette rencontre et en fonction du profil établi de l'élève, on élaborera un plan d'intervention conformément aux procédures de la commission scolaire. Le profil de l'élève devrait être clairement reconnaissable à l'intérieur du plan d'intervention.

1. Quelle est l'histoire de votre enfant?

2. Quels sont vos rêves pour votre enfant?

3. Quel est votre cauchemar?

4. Qui est l'élève?

5. Quels sont les forces, talents, champs d'intérêt de l'élève?

6. Quels sont les besoins de l'élève?

7. À quoi ressemblerait une journée idéale pour l'élève et que devons-nous faire pour que ça se produise?

INTERVENTION DIFFÉRENCIÉE

Après avoir répondu aux questions de la page précédente, il vous faut adopter un mode d'intervention qui prend en compte les besoins particuliers de vos élèves. En effet, tous les élèves apprennent, mais ils n'apprennent pas tous au même rythme. Tous les élèves apprennent, mais ils n'apprennent pas tous de la même façon. Néanmoins, tous les élèves ont le droit de contribuer, de participer et d'apprendre au sein d'un groupe, d'une classe, d'une mini-société. L'enseignant a donc la responsabilité de s'assurer d'enseigner à tous ses élèves. Les activités pédagogiques et la nature de la participation des membres du groupe doivent être ajustées en fonction de leurs besoins individuels (Stone, J., 1987). **L'adaptation aux caractéristiques du curriculum** permet de mieux articuler les activités pédagogiques de chacun des élèves.

À cette fin, rappelez-vous que:

- L'adaptation du curriculum se déroule dans la salle de classe régulière.

- L'adaptation s'effectue avec du matériel réel ou très similaire à celui des autres élèves (et non en excluant l'élève différent).

- L'adaptation du curriculum doit tenir compte du degré de créativité de l'élève.

- L'adaptation du curriculum est facilitée par la résolution de problèmes avec les autres.

- L'adaptation du curriculum encourage l'acceptation et l'interaction entre tous les membres du groupe plutôt que la ségrégation.

- L'adaptation du curriculum est utilisée avec soin afin de s'assurer de motiver et de mettre au défi l'élève.

- L'adaptation du curriculum se base sur l'idée d'un curriculum pour tous avec tous les élèves qui participent sur des sections qui présentent un défi.

- L'adaptation du curriculum se fait en apportant le moins possible de modifications à la leçon pour un élève particulier et en maintenant le but original de la leçon.

STRATÉGIES, TECHNIQUES

Diverses stratégies et techniques doivent être mises en œuvre pour parvenir à répondre aux besoins de tous les élèves au sein de la classe régulière. Les items de notre liste (fiche 23) ont augmenté au cours des années grâce à la collaboration de nombreux étudiants inscrits en formation initiale en adaptation scolaire. N'hésitez pas à ajouter à cette liste toutes les stratégies que vous jugerez pertinentes ou que vous aurez l'occasion d'expérimenter lors de vos stages. Nous vous encourageons à essayer ces stratégies et à en évaluer l'efficacité dans votre pratique pédagogique. Toutefois, n'oubliez jamais que l'élément essentiel à une réelle inclusion scolaire et sociale des jeunes ayant des besoins particuliers est **le temps**.

Le temps… pour lire, écrire, répondre aux questions, dessiner…

Le temps… pour s'organiser, apprendre des nouvelles stratégies.

Le temps… pour l'intégration des différentes interventions éducatives au vécu scolaire quotidien de l'élève.

S
T
R
A
T
É
G
I
E
S

A) ADAPTATION DE L'ENVIRONNEMENT PHYSIQUE

Moyens utilisés

Efficacité

POSITION DE L'ÉLÈVE DANS LA CLASSE

- Prendre en considération les sens de l'élève (vision, ouïe, toucher et odorat)

- S'asseoir en avant de la classe

- S'asseoir en arrière de la classe

- S'asseoir loin du bruit (feux de circulation, rues, hall d'entrée, salle d'ordinateur...)

- S'asseoir le dos à la fenêtre

- S'asseoir près de l'enseignant

- Changer la lumière (lumière sur le pupitre, dos à la fenêtre...)

- Regroupement de bureaux (par 2, par 4...)

- Disposition des bureaux (carré, cercle, demi-cercle, etc.)

- Position du bureau de l'enseignant (avant, arrière, coin, etc.)

A) ADAPTATION DE L'ENVIRONNEMENT PHYSIQUE (suite)

POSITION DE L'ÉLÈVE AU PUPITRE

- Bureau accessible aux fauteuils roulants

- Bureau d'ordinateur (avec prise de courant)

- Bureau de graphiste

- Table (plus grande que pupitre)

- Bureau avec planchette pour clavier d'ordinateur

- Appuie-pieds pour mieux supporter l'élève

A) ADAPTATION DE L'ENVIRONNEMENT PHYSIQUE (suite)

AMÉNAGEMENT DE LA CLASSE

- Tableau magnétique pour affichage

- Un animal dans la classe (pour déve-lopper le sens des responsabilités)

- Décoration au goût des élèves

- Centre de lecture

- Centre de relaxation (coussins)

- Centre d'ordinateurs

- Centre de musique

- Centre de mathématiques

- Centre de sciences

- Centre de médiation (pour discussion lors de conflits)

- Tableau d'honneur (pour reconnaître les différents talents de tous les élèves)

- Boîte d'objets perdus

- Courrier interne (pour questions, conseils, problèmes, etc.)

A) ADAPTATION DE L'ENVIRONNEMENT PHYSIQUE (suite)

ORGANISATION GÉNÉRALE

- Aide d'une amie ou d'un ami
- Étagères à côté du bureau
- Boîte de soupe pour les crayons
- Appuie-livres pour faire tenir les livres sur le bureau
- Attacher le crayon au bureau
- Attacher le crayon à l'élève (chaîne porte-clés)
- Liste de choses à compléter sur le bureau de l'élève
- Horaire de la journée sur le bureau de l'élève (ou sur les livres) en dessin ou en écriture
- Éliminer l'excès de papier sur le bureau de l'élève (code de couleur)
- «Duotang» pour la classe
- Demander à l'élève de rentrer dans la classe plus tôt pour réviser l'horaire de la journée
- Écouteurs pour limiter/contrôler les excès de colère, d'anxiété...
- S'asseoir sur un petit matelas lors du cercle
- S'asseoir sur une chaise lors du cercle

Fiche **23**

B) ADAPTATION DES PRÉSENTATIONS

ADAPTATION DU FORMAT DES PRÉSENTATIONS

- S'il y a difficultés visuelles, utiliser du matériel avec grand contraste et déterminer avec quel matériel l'enfant voit mieux
- Faire des discussions en petits groupes
- Faire des groupes d'apprentissage coopératif
- Faire des équipes d'apprentissage
- Faire des activités collaboratives
- Changer les groupes fréquemment, en fonction du but de la leçon
- Utiliser des jeux de rôles, mouvements corporels
- Utiliser l'enseignement stratégique
- Ordinateur (programmes spécialisés, jeux, etc.)
- Vidéos
- Musique
- Rétroprojecteurs
- Groupe d'écriture
- Groupe de lecture
- Construction de maquettes
- Centre d'apprentissage
- Donner des indices lors de questionnement
- Donner plus de temps à l'élève pour le traitement de l'information

C) ADAPTATION DU MATÉRIEL

UTILISER DIFFÉRENTS MODES DE TRANSMISSION

- Prise de notes
- Dictée
- Cassette audio
- Vidéo
- CD-ROM
- Dessiner
- Peindre
- Découper des dessins d'un catalogue, d'une revue…
- Construire des maquettes
- Utiliser l'ordinateur
- Agrandir, rétrécir le matériel (grosseur des caractères)
- Utiliser des transparents de différentes couleurs sur les pages à lire
- Couper et coller
- Manipulation de matériel concret
- Calculatrice (avec commande verbale, différentes grandeurs)
- Résumé, synthèse
- Tableaux, schémas, diagrammes
- Affiches
- Cahiers modulaires
- Invités (personnes-ressources)

Fiche **23**

C) ADAPTATION DU MATÉRIEL (suite)

MATÉRIEL ADAPTÉ

- Porte-craies
- Ciseaux adaptés
- Coussins pour crayons (prise de crayon)
- Encre bingo
- Marqueurs
- Stylos délébiles
- Feuilles avec coins perforés
- Alphabet et chiffres sur le bureau
- Tampon encreur avec date et numéro
- Stencils
- Papier carbone (un étudiant prend des notes pour un autre)
- Dictionnaire (ordinateur)
- Ordinateur (standard ou modifié ou programme modifié)
- Dictionnaire illustré
- Aide-mémoire
- Centre matériel d'enrichissement
- Livres – cassettes
- Livres sur ordinateur
- Calculatrice (avec ou sans gros numéros)

C) ADAPTATION DU MATÉRIEL (suite)

ADAPTATION DES FEUILLES D'ACTIVITÉS

- Utilisation des symboles (ex.: pour indiquer où commencer à écrire)
- Papier ligné
- Papier ligné avec trottoir
- Papier ligné format large
- Papier quadrillé
- Papier de couleur (codage)
- Souligner, surligner les directives, les mots clés, le sujet...
- Foncer les éléments les plus importants
- Couvrir une partie de la feuille d'activités
- Moins d'informations sur une même feuille
- Contraste des couleurs
- Feuille modèle destinée à la prise de notes

D) ADAPTATION DES RESSOURCES HUMAINES

AIDE DE LA PART DES PAIRS

- Modèle

- Aide de la journée

- Aide à organiser

- Aide pour répondre aux questions

- Lecteur

- Preneur de notes

- Membre de l'équipe coopérative

- Jumelage d'un élève fort avec un élève plus faible

- Jumelage d'une classe avec une autre de même niveau ou de niveau différent

- Appel au groupe (résolution de problèmes, suggestions, etc.)

- Jumelage pour l'élaboration de projets communs (créer une muraille, un jeu, etc.)

Fiche **23**

D) ADAPTATION DES RESSOURCES HUMAINES (suite)

AIDE DE LA PART DES PAIRS

- Aide avec les plus petits

- Lecture, mathématiques, assistance générale

- Observer les forces de l'élève et les rapporter à l'enseignant ou l'enseignante

- Aide à la bibliothèque

- Aide à l'entretien des plantes dans la classe

- Aide à compter les points (éducation physique, jeux)

- Distribution des livres

- Taille des crayons

127

D) ADAPTATION DES RESSOURCES HUMAINES (suite)

INTERVENANTS (techniciens en éducation spécialisée, orthopédagogues, psycho-éducateurs, autres consultants)

- Travail dans la classe

- Modèle pour l'enseignant ou l'enseignante

- Utilisation du curriculum comme guide

- Animation d'une activité spéciale dans la classe (stratégie de lecture, stratégie de contrôle de soi, stratégie de communication, stratégie de résolution de problèmes, etc.)

- Aide aux devoirs

- Valorisation des acquis

- Valorisation des forces

- Valorisation de la communication, expression de ses besoins

D) ADAPTATION DES RESSOURCES HUMAINES (suite)

SUPPORT DE LA COMMUNAUTÉ

- Étudiants du secondaire (1er et 2e cycle)

- Grands-parents volontaires

- Parents volontaires

- Professionnels qui viennent parler de leur métier

- Correspondance entre deux écoles

- Projets communautaires organisés par une classe et des volontaires de la communauté

- Invitation à venir visiter un centre de travail, un endroit particulier, etc.

E) ADAPTATION DES BUTS

QUANTITÉ DE TRAVAIL RÉDUITE

- Simplifier
- Condenser
- Combiner
- Questions plus faciles

MÊME MATIÈRE MAIS DIFFÉRENTS CONCEPTS

- Addition au lieu de multiplication
- Utilisation de la calculatrice au lieu de calcul manuel
- Utilisation du transparent
- Mots clés soulignés

SORTIE

- L'épicerie
- La cuisine (restaurant...)
- Le commerçant et l'entreprise...

GÉNÉRAL

- Des livres imagés
- Dictionnaire visuel

F) ADAPTATION DE L'ÉVALUATION

STRATÉGIES D'ÉVALUATION SIMPLES

- Plus petits objectifs
- Garder le travail simple
- Utiliser la vidéo
- Correction partielle sur une plus grande période

ÉVALUATION PAR LES ÉLÈVES, LES PAIRS ET L'ENSEIGNANT OU L'ENSEIGNANTE

- Autoévaluation
- Qu'est-ce que vous avez compris?
- Démonstration des connaissances
- Utilisation de différents critères
- Évaluation des progrès en lien avec le PIP (plan d'intervention personnalisé)
- Évaluation par les pairs
- Observation pour déterminer s'il y a eu de l'amélioration

Fiche 23

F) ADAPTATION DE L'ÉVALUATION (suite)

TESTS

- Demander à un pair d'écrire les réponses de l'élève
- Test oral
- Utiliser la calculatrice
- Dessiner des images
- Démontrer des connaissances
- Évaluer sur la base du curriculum
- Examen maison
- Livre ouvert
- Carte, diagramme, liens entre les concepts
- Sans limite de temps
- Test dans une classe tranquille
- Plus d'espace de travail
- Choix multiples

Fiche **23**

F) ADAPTATION DE L'ÉVALUATION (suite)

BULLETINS

- Utiliser le même que les autres élèves

- Indiquer la note si «C» et plus

- Indiquer des commentaires si moins que «C»

- Attacher des commentaires, anecdotes

- Donner une note pour les efforts

- Réviser les buts du PIP

Chapitre **13**

MON INTERVENTION AUPRÈS DES ÉLÈVES QUI PERFORMENT EN CLASSE

Smith et Luckasson (1995) publient une revue complète sur les caractéristiques communes aux enseignants efficaces dans l'enseignement aux élèves qu'ils identifient comme doués et talentueux, soit ceux qui ont tendance à performer bien au-delà de leurs pairs sur le plan des apprentissages académiques.

Adapté de Story (1985), Wendel et Heiser (1989), Wighlock et DuCette (1989) et Wyatt (1982), tous cités par Smith et Luckasson (1995), le tableau présenté à la fiche 24 présente l'ensemble de ces caractéristiques personnelles et professionnelles de l'enseignant efficace auprès des élèves plus performants en classe et vous permet d'identifier et de réfléchir sur vos compétences à interagir et intervenir auprès d'eux.

M O N I N T E R V E N T I O N

Fiche **24**

CARACTÉRISTIQUES COMMUNES CHEZ LES ENSEIGNANTS EFFICACES AUPRÈS DES ÉLÈVES PERFORMANTS

RELATIONS INTERPERSONNELLES

- Établit un climat et des relations positives et chaleureuses avec les élèves.

- Flexible dans l'organisation du temps.

- Démontre de l'attention, du respect et de l'intérêt pour les élèves.

- Démontre de l'enthousiasme et de la confiance en soi.

- Pleinement engagé dans le rôle d'intervenant auprès des performants.

- Démontre une sensibilité et une flexibilité dans ses relations avec les élèves.

- Démontre du respect et du support envers la personne de chaque élève.

ASPECTS COGNITIFS RELIÉS À LA TÂCHE

- Orienté vers le processus.

- Démontre un niveau et une qualité élevée d'interaction verbale.

- Demande un travail de grande qualité.

- Prend le rôle de guide.

- Orienté vers le rendement et le développement de support pour les performants.

- Démontre une ouverture d'esprit dans ses réflexions et ses activités.

- Favorise un environnement riche et un curriculum différencié.

- Implique les élèves dans des recherches individuelles.

- Enseigne les processus d'apprentissage, la méthode scientifique et les compétences de recherche.

Quelle est ma perception de mes compétences à interagir auprès des élèves qui performent en classe ?

🖎 _____

_____

_____

_____

_____

_____

_____

_____

_____

_____

_____

_____

_____

_____

_____

STRATÉGIES D'ENSEIGNEMENT ET PISTES DESTINÉES AUX ENSEIGNANTS D'ENFANTS PERFORMANTS

Des stratégies et des pistes d'intervention sont souvent conseillées aux enseignants qui doivent rencontrer les besoins d'enfants qui performent en classe (Crealock et Bachor, 1996; Winzer, 1996; Frangenheim, 1996a; Frangenheim, 1996b; Smith et Luckasson, 1995; Tomlinson, 1995; Berger, 1991). La fiche suivante (fiche 25) présente une synthèse de quelques stratégies conseillées par ces auteurs. À la lecture de ces stratégies, prenez le temps d'identifier les stratégies que vous avez peut-être utilisées en classe. Étaient-elles efficaces? Pourquoi?

STRATÉGIES

STRATÉGIES ET PISTES D'INTERVENTION DANS L'ENSEIGNEMENT AUX ENFANTS PERFORMANTS

STRATÉGIES

- Enseigner une variété de sujets en profondeur.

- Varier votre approche pédagogique.

- Encourager les élèves à devenir des apprenants autonomes.

- Enrichir le sujet à l'étude par des présentations spéciales, des invités, des démonstrations, des vidéocassettes, des sorties et des centres.

- Permettre aux élèves d'avancer à leur rythme à l'intérieur du curriculum, individualiser davantage l'enseignement.

- Être alerte aux signes d'ennui et de perte d'intérêt.

- Encourager les discussions de classe.

- Créer un environnement où les nouvelles idées sont acceptées.

- Donner des problèmes à résoudre qui demandent de réfléchir sur des dilemmes présents et futurs.

- Enseigner et encourager l'utilisation de la bibliothèque et des stratégies de recherche.

Quelles stratégies ai-je utilisées dans ma classe? Suis-je satisfait ou satisfaite de leur application? Pourquoi?

Fiche **25**

STRATÉGIES ET PISTES D'INTERVENTION DANS L'ENSEIGNEMENT AUX ENFANTS PERFORMANTS (suite)

STRATÉGIES

- Développer des activités d'apprentissage et des questions qui demandent l'application de différents niveaux de pensée.

- Intégrer l'utilisation de la technologie dans votre enseignement.

- Tenir compte des différents types d'intelligence dans l'enseignement.

- Utiliser la taxonomie de Bloom (1956) lors de la planification d'activités.

- Présenter du matériel plus poussé.

- Donner des activités de lecture où l'élève peut choisir son matériel à lire.

- Enseigner comment présenter des résultats sous forme de schéma, diagramme, tableau et graphique.

Quelles stratégies ai-je utilisées dans ma classe?
Suis-je satisfait ou satisfaite de leur application? Pourquoi?

139

STRATÉGIES ET PISTES D'INTERVENTION DANS L'ENSEIGNEMENT AUX ENFANTS PERFORMANTS (suite)

STRATÉGIES

- Mettre autant d'accent sur le processus de résolution que sur le résultat final.

- Permettre aux élèves de s'entraider à l'intérieur de la classe par le biais d'activités coopératives.

- Donner à l'élève un choix d'activités et un choix dans la façon de démontrer ce qu'il a appris.

- Encourager l'élève à l'autoévaluation de son travail.

- Encourager la création de liens entre le sujet à l'étude et le monde réel.

- Encourager l'exploration de carrières.

Quelles stratégies ai-je utilisées dans ma classe? Suis-je satisfait ou satisfaite de leur application? Pourquoi?

STRATÉGIES ET PISTES D'INTERVENTION DANS L'ENSEIGNEMENT AUX ENFANTS PERFORMANTS (suite)

CE QU'IL NE FAUT PAS FAIRE

☹ *Donner plus de travail.*

☹ *Donner plus de matériel à lire.*

☹ *Donner des devoirs supplémentaires.*

☹ *Corriger de façon plus sévère.*

Est-ce que j'ai déjà utilisé ces stratégies ?
Si oui, quel est leur impact sur l'apprentissage de l'élève ?

✏ _____

_____

_____

✏ _____

_____

_____

✏ _____

_____

_____

✏ _____

_____

_____

14
Chapitre

APPRENDRE À SOULIGNER LES NOMBREUSES RÉUSSITES DE MES ÉLÈVES

UNE RÉUSSITE DIGNE DE MENTION!

Les élèves, et tout particulièrement les élèves différents, ont besoin que l'on valorise leurs réussites. Vous devez donc vous assurer d'avoir une vision élargie de la réussite. Chaque jour, voire même à chaque période, il faut tendre à reconnaître explicitement au moins une réussite pour chacun des élèves. Cela exige d'être sensible à l'effort d'un élève même si la réussite «mesurable» est petite. Il importe donc d'éviter le piège de la réussite «parfaite», c'est-à-dire oublier la réussite partielle de l'élève parce qu'il n'a pas réussi l'ensemble de la journée!

Exemples de pièges de la réussite parfaite:

1. *Pierre a complété et remis son devoir aujourd'hui. Toutefois, comme il agaçait Carole, je l'ai réprimandé pour son geste envers Carole sans souligner de façon positive la remise de son devoir.*

2. *Pierre a respecté les consignes lors de l'activité de sciences humaines. Toutefois, il n'a pas complété l'exercice. J'ai souligné le travail non complété et j'ai négligé de le féliciter pour le respect des consignes.*

3. *Pierre a eu un excellent avant-midi. Il a fait preuve de respect envers les règles de classe. Toutefois, comme il s'est disputé avec Carole à l'heure du dîner, je ne lui ai pas permis de participer à l'activité cinéma en après-midi. Son anicroche de dix minutes avec Carole a pris toute la place dans mon intervention au détriment de son avant-midi d'effort et de réussite.*

R
É
U
S
S
I
T
E

Pour aider à éviter le piège de la réussite parfaite, nous proposons une liste de réalisations scolaires, sociales et personnelles (fiche 26) que vous devriez prendre en compte dans la formulation des rétroactions destinées aux élèves.

La fiche 27 devrait vous aider à reconnaître de façon explicite les efforts et réussites des élèves de différentes façons. Bien entendu, il ne s'agit pas là d'une liste exhaustive mais bien de quelques pistes possibles.

Enfin, pour éviter le piège de la réussite parfaite, il importe d'identifier les modes de reconnaissance de la réussite que vous utilisez. Ce faisant, vous pourrez identifier les modes de reconnaissance qui gagneraient à être davantage exploités.

La fiche 28 permet d'identifier les réussites soulignées des élèves ainsi que le mode de reconnaissance utilisé.

RÉALISATIONS SCOLAIRES, SOCIALES ET PERSONNELLES

A) RÉUSSITES SUR LE PLAN SCOLAIRE

TERMINER UNE TÂCHE SCOLAIRE	AMÉLIORER SA PROPRE PERFORMANCE
Terminer un numéro.	Améliorer la qualité de son écriture.
Terminer une page.	Améliorer la qualité de sa langue orale.
Terminer une partie d'un projet.	Améliorer sa compréhension d'un problème.
Terminer une correction d'un travail.	Améliorer la propreté de son travail.
Remettre un devoir complété.	Améliorer son taux de réponses.
Faire l'effort de…	Améliorer son taux de bonnes réponses.
	Améliorer une matière autre que celles de base.
	Faire l'effort de…

B) RÉUSSITES SUR LE PLAN SOCIAL

AMÉLIORER SES INTERACTIONS SOCIALES EN CLASSE	AMÉLIORER SES INTERACTIONS SOCIALES À L'EXTÉRIEUR DE LA CLASSE
Améliorer son respect d'une des règles de classe	Dans les corridors de l'école
Améliorer son respect d'une consigne	Dans la cour d'école
Améliorer sa participation sociale à la classe	Dans le cours d'éducation physique
• Discussions	Dans le cours d'arts plastiques
• Questions	Lors d'une sortie d'école
• Commentaires	Lors d'une sortie de classe
• Collaboration	Lors d'un rassemblement d'école
• Activités d'équipe	Lors des olympiades de l'école
Faire l'effort de…	Faire l'effort de…

C) RÉUSSITES SUR LE PLAN PERSONNEL

Atteinte d'un objectif personnel sur le plan académique

Atteinte d'un objectif personnel sur le plan social

Réussite en sports (intramuraux, après l'école, etc.)

Réussite dans les arts (dessin, musique, composition, etc.)

Faire l'effort de…

Fiche **27**

MODES DE RECONNAISSANCE DE LA RÉUSSITE

LES MOTS DE FÉLICITATIONS

En privé

En groupe lors du conseil de coopération

LES DIPLÔMES

Remis en privé

Remis en groupe lors du conseil de coopération

LE COURRIER

Message courriel

Message écrit glissé dans les mains de l'élève

Message écrit glissé dans le cahier de l'élève

Message écrit glissé dans la boîte aux lettres de la classe

L'APPEL TÉLÉPHONIQUE

Aux parents

À l'élève

JE PEUX ÉGALEMENT ENCOURAGER LES ÉLÈVES À DÉVELOPPER UN SYSTÈME DE RECONNAISSANCE DES EFFORTS ET RÉUSSITES.

AU SEIN DE LA CLASSE

Les élèves soulignent une réussite d'un pair sur un tableau dans la classe.

Les élèves soulignent verbalement une réussite d'un pair lors du conseil de coopération.

Les élèves écrivent une réussite d'un pair et glissent la mention dans la boîte aux lettres de la classe.

Les élèves écrivent une réussite d'un pair et glissent la mention dans les mains de l'élève.

Fiche **28**

RÉUSSITES ET MODES DE RECONNAISSANCE

RÉUSSITE SCOLAIRE		
	RÉUSSITES IDENTIFIÉES	MODES DE RECONNAISSANCE
Tâche terminée		
Amélioration		
Autres réussites:		

RÉUSSITE SOCIALE		
	RÉUSSITES IDENTIFIÉES	MODES DE RECONNAISSANCE
Amélioration interaction en classe		
Amélioration interaction à l'extérieur de la classe		
Autres réussites:		

RÉUSSITE PERSONNELLE		
	RÉUSSITES IDENTIFIÉES	MODES DE RECONNAISSANCE
Autres réussites:		

Cinquième SECTION

DÉMONTRER SON CHEMINEMENT VERS UN ACTE PÉDAGOGIQUE PROFESSIONNEL

Ginette Martel, Photographe

15
Chapitre

GUIDE POUR LA CONSTITUTION DE MON PORTFOLIO

Nous vous proposons deux modèles de portfolio de développement professionnel que vous pouvez bâtir tout au long de votre formation initiale.

Le développement de votre portfolio devrait vous aider à prendre pleinement conscience de l'ensemble de vos connaissances et de vos compétences développées tout au long de votre formation à l'enseignement. De plus, il s'avère un outil de synthèse intéressant non seulement pour identifier l'ensemble de vos forces, mais aussi pour prévoir vos stratégies de développement continu suite à l'obtention de votre brevet d'enseignement. Enfin, le portfolio, reflet de votre personne enseignante, constitue un élément de présentation pertinent et apprécié auprès des directions d'écoles dans vos démarches de recherche d'emploi.

PORTFOLIO : Modèle 1

Le premier modèle de portfolio présenté s'inspire des travaux de Wolf, K. (1996). Il comprend trois grandes parties : a) les informations contextuelles ; b) les échantillons et les activités de réflexion ; et c) les informations professionnelles.

a) Les informations contextuelles

Les informations contextuelles permettent la présentation générale de votre personne. On peut y retrouver un curriculum vitæ ainsi que des informations sur vos expériences d'enseignement en contexte scolaire ou autres. Le chapitre 1 devrait vous aider à élaborer une synthèse de vos expériences d'enseignement.

De plus, cette section devrait contenir un texte présentant votre philosophie de l'enseignement. En d'autres mots : «Quelle est votre conception de l'enseignement?». Le chapitre 2 devrait vous aider dans l'élaboration de votre philosophie de l'enseignement.

Enfin, cette première partie de votre portfolio devrait aussi présenter vos objectifs de formation continue, c'est-à-dire certains éléments de votre pratique pédagogique sur lesquels vous souhaitez développer une plus grande expertise ou raffiner vos pratiques. Les chapitres 3 et 4 devraient vous aider au développement de cette partie.

b) Les échantillons et les activités de réflexion

Cette deuxième partie de votre portfolio vise à faire la démonstration de vos compétences réflexives sur une séquence d'enseignement. Une série de possibilités s'offrent à vous pour établir cette démonstration. Vous pourriez présenter :

➤ le survol d'une unité d'enseignement (série d'activités d'enseignement et d'apprentissage sur un même thème) ;

➤ la liste des ressources utilisées dans l'unité et justification (ressources didactiques, visuelles, humaines, etc.) ;

➤ deux plans de leçons consécutifs utilisés dans l'unité ;

➤ une vidéo d'une activité d'enseignement ;

➤ des échantillons de travaux des élèves ;

➤ une évaluation de travaux des élèves.

Chacun des éléments présentés devrait être accompagné de commentaires réflexifs, tant sur les activités d'enseignement et d'apprentissage que sur les productions des élèves. Les chapitres 5 à 15 peuvent alimenter le développement de cette partie.

c) Les informations professionnelles

Cette dernière partie du portfolio fait le point sur vos activités de formation professionnelle. Cette partie devrait comprendre une liste annotée d'activités professionnelles réalisées dans le cadre de vos stages, de vos activités de suppléance ou lors d'autres expériences d'enseignement (exemple : session de formation de gestion de groupes dans le cadre d'un travail de moniteur de camp d'été).

Des lettres de recommandation peuvent aussi être ajoutées à cette section. Ces lettres devraient avoir un lien direct avec vos activités professionnelles en contexte éducatif. Enfin, ceux qui le désirent peuvent ajouter leur fiche d'évaluation des enseignements réalisés en stage.

PORTFOLIO: Modèle 2

Le deuxième type de portfolio proposé est une adaptation des travaux de Wheeler (1996). Il représente une activité synthèse choisie à cause de son exhaustivité. Il comprend cinq parties:

a) la connaissance d'une clientèle particulière ou de stratégies d'intervention favorisant l'inclusion scolaire; b) les compétences professionnelles en enseignement; c) les compétences professionnelles dans le domaine de l'évaluation; d) les composantes éthiques et le professionnalisme; et e) d'autres éléments liés au domaine de l'intervention éducative.

a) La connaissance d'une clientèle particulière ou des stratégies d'intervention favorisant l'inclusion scolaire

Cette première partie du portfolio vous permet de démontrer vos connaissances liées à l'intervention auprès des élèves ayant des besoins particuliers ou à l'intervention en contexte d'inclusion scolaire. Cette partie peut comprendre:

➤ quelques résumés critiques de livres ou d'articles récents écrits sur le sujet;

➤ une liste annotée de cours complétés, d'ateliers ou de conférences auxquels vous avez assisté en lien avec l'inclusion scolaire ou les élèves ayant des besoins particuliers;

➤ quelques commentaires réflexifs sur l'intervention auprès des élèves ayant des besoins particuliers en contexte d'adaptation scolaire ou d'inclusion scolaire.

Les chapitres 11 à 14 devraient vous aider à développer cette partie du portfolio.

b) Les compétences professionnelles en enseignement

Cette deuxième partie du portfolio rend compte de votre perception de vos compétences professionnelles en enseignement. Il s'agit donc d'une synthèse documentée de votre acte pédagogique. Cette partie peut comprendre:

➤ une liste d'activités d'enseignement dans une unité (activités d'enseignement sur un même thème);

➤ les buts et les objectifs d'enseignement pour une année;

➤ un texte réflexif sur l'atteinte des buts et objectifs fixés;

➢ la description de la part du stagiaire de trois interventions possibles suite à l'énoncé d'un problème ;

➢ une vidéo d'une activité d'enseignement ;

➢ une liste de ressources utilisées par le stagiaire (ressources communautaires, associatives, humaines, pédagogiques, etc.) ;

➢ des photographies de matériaux pédagogiques fabriqués par le stagiaire.

Les chapitres 3, 9 et 10 peuvent vous assister dans le développement de cette section de votre portfolio.

c) Les compétences professionnelles dans le domaine de l'évaluation

Cette troisième partie du portfolio vous permet de faire la démonstration de vos compétences professionnelles dans le domaine de l'évaluation des apprentissages (affectif, cognitif et social) de vos élèves. Le chapitre 14 devrait vous assister dans la réalisation de cette section. En effet, l'exercice de l'évaluation des différents apprentissages des élèves devrait permettre un compte rendu de l'évolution globale de l'élève et non de limiter à des fins de sanctions. L'évaluation est un moment privilégié de contribuer au développement des compétences de vos élèves par des commentaires constructifs et significatifs. Voici ce que cette section peut comprendre :

➢ une copie d'un examen de fin d'unité préparé par le stagiaire ;

➢ un résumé des procédures d'évaluation des travaux des élèves qui tient compte des aspects affectifs, sociaux et cognitifs ;

➢ une copie des critères d'évaluation utilisés dans l'évaluation d'un projet ;

➢ un texte expliquant le système mis en place par le stagiaire pour compiler les notes et les progrès globaux des élèves ;

➢ des échantillons de travaux d'élèves avec commentaires d'évaluation écrits ;

➢ des échantillons de commentaires transmis aux parents par le biais de lettres ou du bulletin.

d) Les composantes éthiques et le professionnalisme

Les composantes éthiques de l'acte d'enseigner sont au cœur des préoccupations des formateurs de maîtres et des directions d'école. Cette quatrième partie vous permet donc d'élaborer et de préciser votre degré de professionnalisme et votre sensibilité aux composantes éthiques de l'acte d'enseigner. Cette partie peut comprendre:

➢ un dossier de participation aux activités de développement professionnel dispensées lors de vos stages;

➢ un résumé des services rendus et des activités de coopération avec d'autres intervenants scolaires;

➢ des échantillons de commentaires donnés aux élèves en fonction de leurs besoins particuliers dans le respect des différences;

➢ une copie de textes transmis à un journal professionnel;

➢ des informations concernant une motion de félicitation reçue pour l'enseignement (diplôme d'excellence, coupure de journal, bourse, etc.);

➢ la résolution d'un problème de nature éthique dans vos fonctions d'enseignant ou d'enseignante.

e) Autres éléments liés au domaine de l'intervention éducative

Cette dernière section du portfolio vous permet de compléter votre dossier professionnel en y ajoutant des éléments d'information sur d'autres activités ou habiletés que vous possédez. Ces dernières devraient être susceptibles d'apporter des éléments positifs au milieu scolaire. Cette section peut comprendre:

➢ une liste d'activités parascolaires auxquelles le stagiaire a participé;

➢ une liste des comités auxquels le stagiaire a participé;

➢ une copie d'un diplôme ou d'une attestation de secourisme;

➢ des échantillons de dessins ou tout autre élément artistique.

CONCLUSION

Votre formation initiale à l'enseignement se termine. Vos formateurs estiment que vous avez démontré un potentiel pour enseigner et que la société peut vous confier des groupes d'élèves avec confiance. Bravo! Ce n'est cependant qu'un début. Votre enthousiasme initial risque fort de s'amoindrir si vous ne savez l'entretenir. La carrière d'un enseignant n'a d'étapes que celles qu'il se donne. Nous aimerions conclure ce cahier de soutien à la construction d'une théorie personnelle de la pratique de l'enseignement en vous révélant deux attitudes indispensables à adopter pour à la fois surmonter les inévitables difficultés du début de carrière et conserver le souffle nécessaire pour une longue et satisfaisante carrière.

Considérez d'abord que l'enseignement, tout en ayant une longue histoire comme activité humaine, est une profession jeune à la recherche de repères partagés et gouvernée par très peu de certitude. Ainsi, vous pouvez et devez concevoir votre action professionnelle comme créatrice de savoirs et non comme applicatrice de savoirs déjà homologués. Cela ne se pose pas de la même façon dans d'autres professions qui en sont à d'autres étapes de leur évolution. Cela est certes inquiétant mais combien stimulant. En enseignement, agir c'est chercher. Laissez des traces de vos actions, systématisez votre réflexion, tirez parti des difficultés. Vos gestes quotidiens, lorsqu'ils sont posés de façon réfléchie et en toute humilité, font avancer la profession tout en servant des élèves en développement. Les jours où vous aurez l'impression que les élèves n'apprécient pas ou ne réagissent pas de façon satisfaisante à vos interventions, cette attitude de constructeur d'une profession redonnera sens à vos efforts.

Considérez aussi que vous n'enseignez jamais seul. Vos interventions sont liées à celles d'une équipe-cycle, d'une équipe-école, d'un ensemble d'enseignants d'une même commission scolaire, d'un même syndicat, d'un même système scolaire. Cette profession est à construire collectivement. Ne pensez pas que vous seul devez ou pouvez résoudre tous les problèmes. Partagez votre questionnement, vos réussites. Écoutez, appréciez ce que font les autres. Une telle culture de collaboration est peu installée dans le monde de l'enseignement. Pourtant, tous les enseignants partagent une même intention: celle du développement d'individus au service du développement des collectivités. Pourquoi ne pas partager la recherche des meilleurs moyens de la réaliser? Les jours où vous vous sentirez seul face à vos limites, cette image de n'être qu'un parmi d'autres et surtout d'être un avec d'autres vous redonnera courage et vous permettra de trouver des façons de vous échapper de situations où, sans le vouloir, vous vous serez enfermé.

Voilà!... Mais les derniers mots de cet ouvrage ne sauraient nous appartenir. Fidèles à notre orientation, nous vous laissons formuler votre conclusion en lien avec ces deux attitudes (*qu'est-ce que vous pensez sincèrement de leur pertinence et de leur degré de développement chez vous?*), mais aussi et surtout en lien avec les parties du cahier qui ont été les plus significatives pour vous.

Le mot de la fin, donc...

Mes conclusions

RÉFÉRENCES BIBLIOGRAPHIQUES

BERGER, S.L. (1991). «Differentiating Curriculum for Gifted Students. Council for Exceptional Children», Reston, Va., *ERIC Digest, n° E510*.

BOUTET, M. (2002). «Pour une meilleure compréhension de la dynamique de la triade», dans M. Boutet et N. Rousseau (dir.), *Les enjeux de la supervision pédagogique des stages en enseignement*, Montréal, Les Presses de l'Université du Québec, p. 87-102.

BRESSOUX, P. (1994). «Estimer et expliquer les effets des classes: le cas des acquisitions en lecture», *Mesure et évaluation en éducation*, s.l., *17* (1), p. 75-94.

BRESSOUX, P. (1996). «The effects of teachers' training on pupils' achievement: the case of elementary schools in France», *School effectiveness and school improvement*, s.l., *7* (3), p. 252-279.

BRESSOUX, P. (2001). «Réflexions sur l'effet-maître et l'étude des pratiques enseignantes», *Les Dossiers des Sciences de l'Éducation*, s.l., *6*, p. 35-52.

BRU, M. (1991). *Les variations didactiques dans l'organisation des conditions d'apprentissage*, Toulouse, Éditions universitaires du Sud.

CHALVIN, D. (1981). *L'affirmation de soi* (2ᵉ éd.), Paris, Les Éditions ESF.

CHARUE, R. (1996). *De la normalité à … la normalité*, s.l., Éditions Nouvelles.

CHIFFRE, J., et J.-L. MULLER. (1990). *Savoir s'affirmer*, Paris, Les Éditions ESF.

CREALOCK, D., et D.G. BACHOR (1996). *Instructional Strategies for Students with Special Needs*, 2ᵉ édition, Scarborough, Ontario, Allyn and Bacon Canada.

DE SANCTIS, M., et A. BLUMBERG (1979). *An exploratory study into the nature of teacher interactions with other adults in the schools,* communication présentée à la rencontre annuelle de l'American Educational Research Association, San Francisco, avril.

DREEBEN, R. (1973). «The school as a workplace», dans R.M. Travers (dir.), *Second handbook of research on teaching,* Chicago (Ill.), Rand McNally, p. 450-473.

FRANGENHEIM, E. (1996a). *Staff Professional Development Workshops*, Rodin Educational Consultancy, Loganholme.

FRANGENHEIM, E. (1996b). *Modelling of Information offered in Staff Workshops*, Rodin Educational Consultancy, Loganholme.

GLICKMAN, C.D., S.P. GORDON et J.M. ROSS-GORDON (2001). *Supervision and instructional leadership: a developmental approach,* Boston (Mass.), Allyn and Bacon.

GOLEMAN, D. (1997). *L'intelligence émotionnelle*, Paris, Lafond.

GOODLAD, J.I. (1984). *A place called school,* New York (N.Y.), McGraw-Hill.

GORDON, S.P. (1991). *How to help beginning teachers succeed,* Alexandria (Va.), Association for Supervision and Curriculum Development.

HARGREAVES, A. (1994). *Changing teachers, changing times: teacher work and culture in the postmodern age,* London, Cassel.

HÉTU, J.-C. (1994*). La relation d'aide,* Montréal, Gaëtan Morin éditeur.

JACKSON, P.W. (1968). *Life in classrooms,* New York (N.Y.), Holt, Rinehart et Winston.

KOLB, D. (1984). *Experiential learning – Experience as the source of learning and development,* Englewoods Cliffs (N.J.), Prentice-Hall.

LEGENDRE, R. (1993). *Dictionnaire actuel de l'éducation – 2ᵉ édition,* Montréal, Guérin ; Paris, Eska.

LEWIN, K. (1951). *Field theory in social sciences,* New York (N.Y.), Harper and Row.

LITTLE, J.W. (1982). «Norms of collegiality and experimentation: workplace conditions of school success », *American educational research journal,* s.l., *19* (3), p. 325-340.

LORTIE (1975). *School teacher: a sociological study,* Chicago (Ill.), University of Chicago Press.

MINGART, A. (1984). «Les acquisitions scolaires au CP: les origines des différences?», *Revue française de pédagogie,* s.l., *69,* p. 49-62.

MINGART, A. (1991). «Expliquer la variété des acquisitions au cours préparatoires: les rôles de l'enfant, la famille et l'école», *Revue française de pédagogie,* s.l., *95,* p. 47-63.

Ministère de l'éducation (2001). La formation à l'enseignement, gouvernement du Québec.

PAJAK, E., et C. GLICKMAN (1987). *Dimensions of improving school districts,* présentation faite à la conférence annuelle de l'Association for Supervision and Curriculum Development, Nouvelle-Orléans, mars.

PAQUAY, L., M. ALTET, É. CHARLIER et P. PERRENOUD (dir.) [1996]. *Former des enseignants professionnels,* Bruxelles, De Boeck Université.

PEARPOINT, J., M. FOREST et J. O'BRIEN (1996). «MAPS, Circles of Friends, and PATH. Powerful tools to help build caring communities», dans S. Stainback et W. Stainback (Eds.) [1996], *Inclusion. A Guide for Educators* [p. 67-86], Baltimore, Maryland, Paul H. Brookes.

PERRENOUD, P. (2001). *Développer la pratique réflexive dans le métier d'enseignant: professionnalisation et raison pédagogique,* Paris, ES.

ROSENHOLTZ, S.J. (1985). «Effective schools: interpreting the evidence», *American journal of education,* s.l., *93* (3), p. 352-388.

ROSENHOLTZ, S.J. (1989). *Teachers' workplace: the social organisation of schools,* New York (N.Y.), Longman.

SARASON, S.B. (1996). *Revisiting the culture of the school and the problem of change,* New York (N.Y.), Teachers College Press.

SCHÖN, D.A. (1992). «The theory of inquiry: Dewey's legacy to education», *Curriculum Inquiry,* s.l., *22*(2), p. 119-139.

SCHÖN, D.A. (1994). *Le praticien réflexif – À la recherche du savoir caché dans l'agir professionnel,* traduit et adapté par J. Heynemand et D. Gagnon, Montréal, Les Éditions Logiques.

SMITH, D.D., et R. LUCKASSON (1995). *Introduction to Special Education. Teaching in an Age of Challenge,* (p. 298-351), Mass., Allyn and Bacon.

THÉBERGE, M., R. LEBLANC et M. BRABANT (1995). «Le style d'apprentissage d'étudiants de la formation à l'enseignement», *Revue des sciences de l'éducation,* s.l., *XXI* (3), p. 503-519.

TOCHON, F. (1992). «Trois épistémologies du bon enseignement», *Revue des sciences de l'éducation,* s.l., *XVIII* (2), p. 181-199.

TOMLINSON, C.A. (1995). «Differentiating Instruction for Advanced Learners in the Mixed Ability Middle School Classroom. The Eric Clearninghouse on Disabilities and Gifted Education», s.l., *ERIC Digest, n° E536.*

TREMBLAY, Monique (1992). *L'adaptation humaine, un processus biopsychosocial à découvrir,* Montréal, Les Éditions Saint-Martin.

WENDEL, R., et S. HEISER (1989). «Effective Instructional Characteristics of Teachers of Junior High School Gifted Students», *Roeper-Review,* s.l., vol. 11, n° 3, p. 151-153, mars.

WHEELER, P.H. (1996). «Using Portfolios to Asses Teacher Performance», dans Burke, K. (Éd. 1996). *Professional Portfolios,* (p. 74-94), Arlington Heights, Illinois, IRI SkyLight Training and Publishing.

WIGHLOCK, M.-S., et J.P. DUCETTE (1989). *Outstanding and Average Teachers of the Gifted: A Comparative Study. Gifted-Child-Quarterly,* vol. 33, n° 1, p. 15-21, Win, 1989.

WINZER, M. (1996). *Children with exceptionalities in Canadian Classrooms,* 4e édition, Scarborough, Ont., Allyn and Bacon Canada, 1996c.

WOLF, K. (1996). «Developing an Effective Teaching Portfolio», dans Burke, K. (Éd. 1996). *Professional Portfolios,* (p. 41-47), Arlington Heights, Illinois, IRI SkyLight Training and Publishing.

WYATT, F. (1982). *Responsibility for Gifted Learners. A Plea for the Encouragement of Classroom Teacher Support. Gifted-Child-Quarterly,* vol. 26, n° 3, p. 140-143.

LISTE DES FICHES

ACHEVÉ D'IMPRIMER
EN L'AN DEUX
MILLE
TROIS
SUR LES
PRESSES DES
ATELIERS GUÉRIN
MONTRÉAL (QUÉBEC)